JN113288

沖展 74th OKITEN EXHIBITION 2023

絵画 / 版画 / 彫刻 / グラフィックデザイン / 書芸 / 写真 / 陶芸 / 漆芸 / 染色 / 織物 / ガラス / 木工芸

絵 版 彫 グ

書 写 陶 漆

染 織 ガ 木

第74回「沖展」

　うりずん南風吹くうららかな春、今年もここ浦添の地で、県内最大の美術工芸公募展「沖展」を開催できますことを主催者として大変喜ばしく思います。

　2020年2月、世界中で爆発的に流行した新型コロナウイルスは、2023年3月現在、ワクチンの普及などに伴い重症化率が低下しています。コロナ禍は4年目に入り、時に収束する兆しもみられるようになり、沖展は4年ぶりに祝賀会の開催や、ワークショップ、作品解説会などの関連催事の再開を計画しました。来場される方々にとって、さまざまな企画を通して、創作や表現の魅力により一層、触れて頂ける機会となれば幸いです。

　コロナのまん延とともに、感染への不安が社会に広がり、外出自粛やマスク着用、黙食など、これまでになかった制限が押し寄せた3年間でした。日々の営みや自由が奪われ、私たちの日常は大きく変わりましたが、表現者たちは自らの内面に向き合って、作品をつくり続けてきました。

　沖展はもともと、沖縄戦で荒廃した郷土の復興に向け、文化の力で県民を支えようと、沖縄タイムス創刊翌年の1949年に始まりました。筆舌に尽くし難い苛烈な時代とは同列には語れませんが、先の見えないコロナ禍の現代も同じように必要とされているのが文化の力だと信じています。困難な時を生きる人々を支えたいという沖展の精神は、始まった当時と今も変わることはありません。

　沖展は絵画・版画・彫刻・グラフィックデザイン・書芸・写真・陶芸・漆芸・染色・織物・ガラス・木工芸の12部門から成ります。今回は一般の部に787点（661人）の応募があり、厳正な審査を経て514点（473人）の入賞入選作品が決まりました。会員および準会員の作品と合わせて、合計742点（687人）の作品を一堂に展示します。会場は豊かな感性や自由で多様な価値観が、思い思いに表現された作品で埋め尽くされています。気になった作品には足をとめ、ぜひ作品との対話を楽しんでください。

　結びに、35年近く本展会場をご提供頂いています浦添市、浦添市教育委員会をはじめ、沖展選抜展を主催運営して頂いていますうるま市教育委員会、ご協賛のオリオンビール株式会社、e-no株式会社、沖縄食糧株式会社、株式会社かりゆし、光文堂コミュニケーションズ株式会社、「沖展みんなの1点賞」企画協力の日本トランスオーシャン航空株式会社、後援団体の各位、そして情熱を込めた作品をご出品頂いた皆さまに心より感謝申し上げます。

沖縄タイムス社

第74回 沖展会場案内図

第74回「沖展」審査結果

部　門	一　　般　　応　　募								準　会　員					会　　員			総　合　計	
	応募点数(人数)	沖展賞	奨励賞	浦添市長賞	うるま市長賞	e-no新人賞	入選	計	応募点数(人数)	準会員賞	会員賞	他展示数	計	会員点数(人数)	特別展示	計	総展示数　(総人数)	
絵　画	120点　(120人)	1	3	1	1	1	66	73点　(73人)	15点　(15人)	2	13		15点	28点　(28人)	0	28点	116点　(116人)	
版　画	14点　(9人)	0	1	1	1	1	8	12点　(9人)	1点　(1人)	0	1		1点	10点　(9人)	1	11点	24点　(20人)	
彫　刻	22点　(19人)	1	2	1	1	1	9	15点　(15人)	5点　(5人)	0	5		5点	10点　(9人)	0	10点	30点　(29人)	
グラフィックデザイン	34点　(24人)	0	2	1	1	1	21	26点　(20人)	10点　(6人)	2	8		10点	12点　(8人)	0	12点	48点　(34人)	
書　芸	268点　(268人)	1	4	1	1	1	198	206点　(206人)	27点　(27人)	2	25		27点	33点　(33人)	0	33点	266点　(266人)	
写　真	214点　(126人)	1	2	1	1	1	74	80点　(64人)	8点　(7人)	0	8		8点	10点　(10人)	0	10点	98点　(81人)	
陶　芸	50点　(42人)	1	2	1	1	1	39	45点　(38人)	5点　(4人)	0	5		5点	9点　(9人)	0	9点	59点　(51人)	
漆　芸	9点　(7人)	0	1	1	1	0	6	9点　(7人)	2点　(2人)	1	1		2点	9点　(8人)	0	9点	20点　(17人)	
染　色	10点　(9人)	0	1	1	1	0	7	10点　(9人)	3点　(3人)	0	3		3点	6点　(6人)	0	6点	19点　(18人)	
織　物	17点　(14人)	1	1	1	1	0	11	15点　(12人)	3点　(3人)	1	2		3点	10点　(10人)	2	12点	30点　(27人)	
ガラス	14点　(11人)	0	1	1	1	0	9	12点　(10人)	1点　(1人)	1	0		1点	4点　(3人)	0	4点	17点　(14人)	
木工芸	15点　(12人)	1	1	1	1	0	7	11点　(10人)	2点　(2人)	0	1		2点	2点　(2人)	0	2点	15点　(14人)	
合　計	787点　(661人)	7	21	12	12	7	455	514点　(473人)	82点　(76人)	10	72		82点	143点　(136人)	3	146点	742点　(687人)	

第74回「沖展」の日程

■会　期：2023年3月18日(土)〜4月2日(日)　午前10時〜午後6時(入館は午後5時30分まで)

■会　場：ANA ARENA 浦添(浦添市民体育館)

●開会式：3月18日(土)午前9時30分　ANA ARENA 浦添 会場入口

●表彰式：3月19日(日)午後4時　アイム・ユニバースてだこホール 大ホール

●合同祝賀会：3月19日(日)午後6時　アイム・ユニバースてだこホール 市民交流室

●みんなの1点賞表彰式：4月2日(日)午後1時30分　ANA ARENA 浦添1階・沖展事務局

※書芸部門　入選作品展示：前期　3月18日(土)〜3月25日(土)
　　　　　　　　　　　　　　後期　3月26日(日)〜4月2日(日)

第46回沖展選抜展

■会　期：2023年4月7日(金)〜9日(日)　午前10時〜午後5時

■会　場：うるま市生涯学習・文化振興センター「ゆらてく」(入場無料)

関連催事／作品解説会

日　　程		ワークショップ (1階ロビー／屋外広場)	作品解説(各展示室)
3月18日	(土)	13:00〜みんなで作る缶バッジ (グラフィックデザイン部門)	11:30〜絵画 14:30〜漆芸 15:30〜グラフィックデザイン
3月19日	(日)		11:30〜木工芸 13:30〜織物
3月20日	(月)		
3月21日	(火)	14:00〜書のどうぶつえんとすいぞくかん (書芸部門)	
3月22日	(水)		10:00〜写真(出品者向け) 15:00〜写真(来場者向け)
3月23日	(木)		
3月24日	(金)		
3月25日	(土)	14:00〜カナクリーで作るタペストリー (彫刻部門)	11:30〜書芸前期 13:30〜織物
3月26日	(日)	10:00〜シルク印刷体験(版画部門) 14:00〜陶芸教室(陶芸部門)	10:30〜染色 11:30〜彫刻・陶芸 13:30〜版画・ガラス
3月27日	(月)		
3月28日	(火)		
3月29日	(水)	14:00〜写真添削教室 (写真部門)	
3月30日	(木)		
3月31日	(金)		
4月1日	(土)		17:00〜書芸後期
4月2日	(日)		

(注)　上記日程は都合により変更の場合があります。陶芸教室は荒天時には中止する場合があります。

2

目　次

※会員、準会員、入賞、入選氏名は五十音順

絵画部門

総評ー大城　譲（会員）

　審査開始直後から、入選か否かの選考がスムーズに進んだ。その中から、賞候補作品は40点も挙がった。レベルが高く充実感ある審査状況であった。

　ただ、沖展に出品を積み重ねることによって、一定以上の安定感と、まとまりある秀作が高く評価される一方で、従来とは異なる独創性やインパクトある作品の出現を望む声も多くの審査員から聞かれた。

　そんな中、若い世代の作家、いわゆる「U30」の20代、「U20」の10代の応募が増えたことは、ひとつの光明であった。芸術探求に年齢の差異はないのであるが、されど、新たな感性の参入や注入は、芸術文化の永続の証となり、そして希望となる。入選作品の中から、10〜20代の出品者が対象となる「e-no新人賞」の対象となった作品群の充実度が目を引くものであったことを特記したい。真摯なる制作姿勢に共感し、作品の深化希求を待望し、応募参加の継続にエールを送りたい。

　正賞については個々の講評にゆだね、特別賞についてこの場を借りて記したい。

　浦添市長賞を受賞した比屋根清隆氏の《群青》は、大波の揺らぎを思わせるブルーの色彩構成である。揺らぎに赤色が寄せており、寒暖対比のアクセントと、メリハリある抽象構築が目を引いた。

　うるま市長賞を受賞したのは石原美智子氏の《confusion》。布によるコラージュを組み込んだ重みのある色彩構成で、独自の絵画世界の存在が光った。

　前述したe-no新人賞は前川麗香氏の《浮遊船》が受賞した。トルソ（人の胴体）を組み入れた形態と、深みある色彩の明暗表現によって、内面的イメージを醸し出す作品となっていた。

　特別賞の三者はともに、研鑽の積み重ねによる初の受賞である。ますます真摯に探究されることを期待する。

　実直な制作姿勢は見て取れるが、その制作の根源となる自身の内面にもっと向き合ってほしいと思われる作品や、光るセンスはありながらもサイズが小さすぎて選外となる作品も多くあった。

　展示会場では他者の作品と対峙し、自らの制作を振り返るよすがとしての「沖展」であることを願い、来年もより一層、意欲ある出品を待ち望んでいる。

沖展賞

迫りくる現実 ——————— 伊是名 教 子

奨励賞

廃屋 ——————— 赤 嶺 愼 次
私の居場所(I) ——————— 澤 岻 盛 勇
ニライカナイからの招待状 — 仁 添 まりな

浦添市長賞

群青 ——————— 比屋根 清 隆

うるま市長賞

Confusion ——————— 石 原 美智子

e-no新人賞

浮遊船 ——————— 前 川 麗 香

一般入選作品

陽だまり ——————— 赤 嶺 美代子
比地川(支流) ——————— 東 光 二
Xの断片 浮遊 ——————— 新 垣 龍 子
不安のファン ——————— 伊 芸 匠 志
侵蝕 ——————— 池 原 菊 江
深遠 ——————— 石 川 豊 子
雨の市庁舎前 ——————— 伊是名 吉 明
My,グレート,リセット ——————— 糸 洲 英 子
無意味な物 ——————— 稲 嶺 亮
Anyone ——————— 上江洲 仁 美
Bloom ——————— 上 田 達 大
シーサーと廃家のある風景 ——————— 大 城 春 信
ふるさとの初夏(鳩間島) ——————— 大 城 正 明
旧市街 マテーラ(イタリア) ——————— 大 城 裕
スーパームーン ——————— 大 田 隆 男
遭遇 ——————— 我 謝 弘 行
平和だ、安全だ! ——————— 我 部 よしみ
那覇の漁港 ——————— 亀 濱 勇 吉
祈りの古城 ——————— 狩 俣 正
め ——————— 喜屋武 愛 理
オーロラ ——————— 喜屋武 信 子
咆吼 ——————— 國 吉 清
八重山乃ちから ——————— 幸 地 建 一
いぶき ——————— 小橋川 邦 子

青の精獣 ——————— 崎 山 ハナエ
ヤンバルの森 ——————— 座 覇 昭
舞姿 ——————— 下 地 りえこ
OKINAWA's GARDEN OF EDEN ——————— JORDAN TONY
内なる声 ——————— 城 間 幸 子
きく ——————— 城 間 文 雄
鎖文様附図 ——————— 末 次 宏二美
古き小川のほとり ——————— 砂 川 秀 勝
命ドゥ宝 ——————— 添 石 良 健
ファンタジー ——————— 嵩 原 武 子
かメーかメー ——————— 玉 城 舞 風
あたたかい海 ——————— 知 名 定 充
龍柱は想う ——————— 知 念 悦 子
「わったー島でーびる」 ——————— 千 葉 友 子
ふんばるガジュマル ——————— 知 花 竜 也
沖縄の海に咲く ——————— 津 野 さくら
エメラルドなメロディー ——————— 津波古 政 廣
国頭風景 ——————— 桃 原 典 之
心彩 ——————— 渡久地 美智子
祈り ——————— 渡久地 利江子
時 ——————— 豊 里 三智恵
つながる(春へ) ——————— 仲 座 包 子
このあいだはいきていたのに ——————— 仲宗根 勇 吉
時を刻む ——————— 長 嶺 末 子
夏休み ——————— 仲 本 潤一郎
グングワチユッカヌヒーV ——————— 西 平 賀 雄
ピアノコンチェルト ——————— 根路銘 惠 二
琉球魂 ——————— 比 嘉 愛 子
樹 ——————— 比 嘉 博
おとしごろ ——————— 平 田 政 則
ロンド(アガパンサス) ——————— 辺土名 リュ子
海ギタラ ——————— 前 田 初 枝
古道 ——————— 松 田 利 男
百合の希望 ——————— 宮 城 郁 代
落ち葉のある風景 ——————— 宮 城 安 子
風が舞う ——————— 宮 里 香
私のメルヘンから‥‥ PART91 ——————— 宮 里 ユキ子
踊る珊瑚 ——————— 山 内 望起子
天満月 ——————— 山 脇 優 香
愛が枷になる ——————— 結 城 花 椰

99.87%の現世界と 陳腐ーなる過去 ——————— 与那覇 俊
戦いすんで、夜が明けて… ——————— 饒平名 知 健

5

会員作品

鳥のように 2023 （130×162） 具志 恒勇(会員)

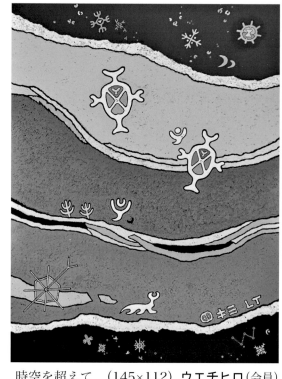

時空を超えて （145×112） ウエチヒロ(会員)

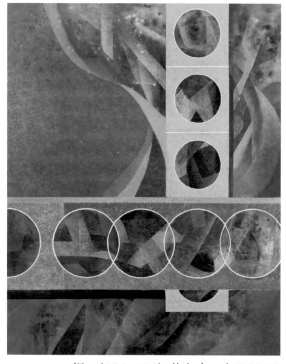

相 （164×132） 佐久本 米子(会員)

けしき （120×120） 比嘉 良二(会員)

6

久高島のイザイホー祭り　（91×121.5）
喜友名　朝紀（会員）

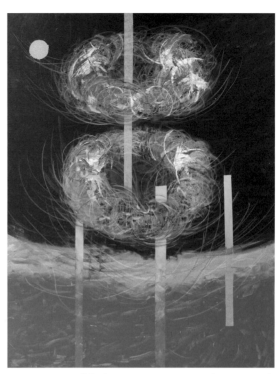

「潮流のラビリンス」　（162×130）
佐久本　伸光（会員）

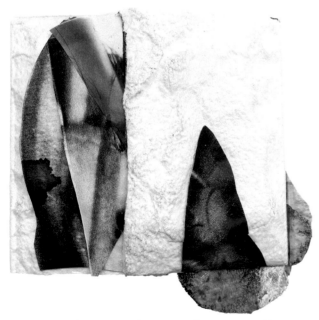

キザシ2023　（165×195）　上間　彩花（会員）

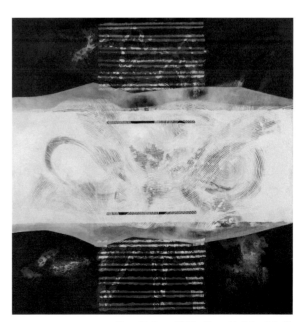

手のひらの消失点　（164×164）
與那嶺　芳恵（会員）

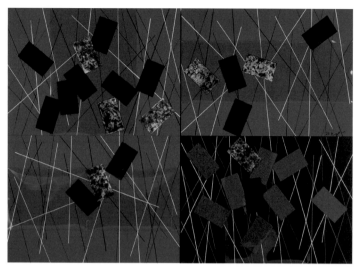

シースルー （145.5×205.5） 砂川　喜代（会員）

世界いろいろ （121.5×155） 稲嶺　成祚（会員）

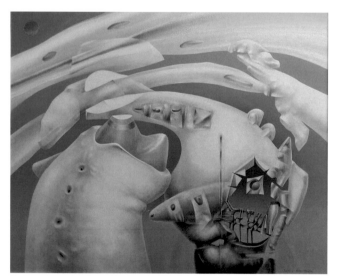

景(22) （132×163） 比嘉　武史（会員）

壁 （92×119） 大城　譲（会員）

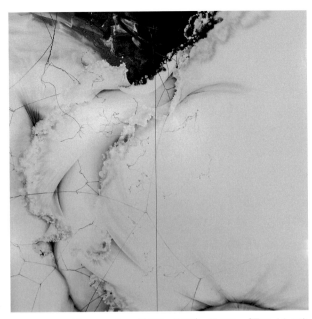

Emotional/scene1　（182×182）池原　優子（会員）

つながる大地　（200×200）鎮西　公子（会員）

浸食　（72.8×103）具志堅　誓謹（会員）

黒い森　（186×186）平川　宗信（会員）

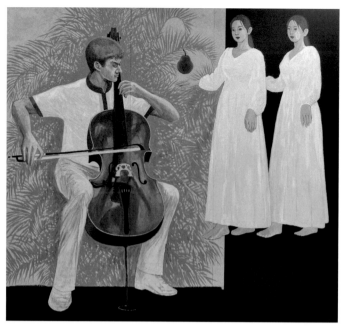

チェロの響きに誘われて　（186×203）**知念　秀幸**（会員）

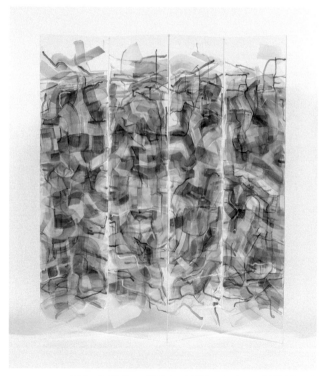

外から出る　（200×180）**山内　盛博**（会員）

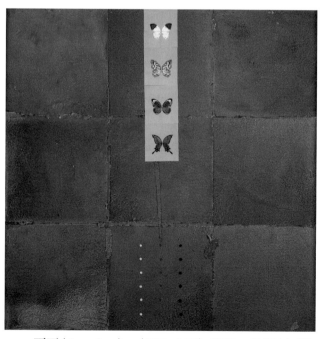

夏至（カーチー）　（162×162）**宮里　昌信**（会員）

終わりのない世界 （164×164） 金城　幸也（会員）

浮遊する島 　（81×63）
並里　幸太（会員）

無何有の郷を思う （145.5×112.2）
与久田　健一（会員）

はるまぁーい（畑を見てまわる）（213×152）
新垣　正一（会員）

会員作品

休息　（178×146）**赤嶺　正則**（会員）

2023年1月31日自画像　（168×136）
中島　イソ子（会員）

琉球を偲ぶ　（180×154）**金城　進**（会員）

準会員賞

墓標　（132×195）橋本　弘徳（準会員）

　一見すると単なる廃墟と化した工場跡の風景に見える。しかし画面から醸し出されるシンと静まり返った雰囲気は観る者の詩情に強く訴えかける。さらに墓標という画題は解き難い謎のように観る者を捉えて離さない。このような誘引力はどのようにもたらされているのだろう。

　構図は縦に壁と床で大きく分割する。左から右にゆるやかに縮小する遠近法は画面に流れを生み視線を導く。だが中央上部より縦に差し込む光のような白っぽくなった部分と、横に並んだ円形の機械の部品が中央で十字に交叉し流れ去ろうとする視線を引き止める。これらのもたらすバランスが画面に潜在し、力動的に働く。

　青で統一された色調は静謐感をたずさえ、詩情を生む。画面の所々に射し込む光の反射のような表現は、時間の経過をイメージさせ往時の繁栄していたであろう一時期に思いを馳せずにはいられない。「月日は百代の過客にして…」などの詩編と共に人生の無常を思う。

評－山内　盛博（会員）

準会員賞

沖縄の沈黙 （184.5×186.5）砂川　恵光（準会員）

　存在感と質感のある作品である。重厚な色彩は内面から噴き出て、安堵の気持ちを抱かされる。人の胴体をガマ（洞窟）に見立て、忌まわしさを拒絶し身を削るがごとく、作品との葛藤がうかがえ、造形への探求が見て取れる。不条理な社会に向け、自己の内面を熱く語り、人々への思いを示唆したことを主題とし、独特な画風と独創性のある作品に共感を覚えた。

　従来の絵画表現の流れを尊重しながらも、自身はそれを超え、端的かつ大胆に表現した。チラシを切り貼りした配色の妙に、素材を石膏に埋め込む技法や、潰した缶を貼り付け、みるからに現代アートとしての側面も印象深い。漆喰を加えた重厚な画面、色彩の滲み、温かさが想像を膨らませる。

　胴体に見立てたガマの周りに配列されたオスプレイ、蝶、頭骨のクイチャー（踊りの輪）が、沈黙してはいられないと語りかけてくる。

評－宮里　昌信（会員）

family （130×160）いがわはるよし（準会員）

記憶 （196.5×164）北山 千雅子（準会員）

是空 （196×184）鶴見 伸（準会員）

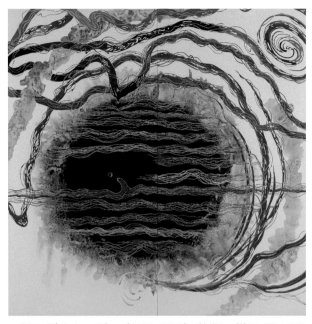

風に誘われて波　（187×188）　**仲程　悦子**（準会員）

ニーブイするチュンチャー　（166×191）
知念　盛一（準会員）

SIMA　（136×200）　**新崎　多恵子**（準会員）

あがたぬくがた「七御嶽」 （148.5×115.1）
仲松　清隆（準会員）

支柱界隈　（146×180）**山田　武**（準会員）

祥瑞球陽 平和への築け橋　（135×209）**サンリー・ヨンツォ**（準会員）

こく　（193×163）**山城　政子**(準会員)

地相 2023　（177×177）**與那覇　勉**(準会員)

記憶の風景　（200×137）
上原　はま子(準会員)

レトロ（167×199）**赤嶺　広和**(準会員)

沖展賞

迫りくる現実　（165×165）伊是名　教子

　沖展賞の伊是名教子さん《迫りくる現実》は、黒と白のトーンが縦横無尽に広がり、見るものを圧倒する。
　墨や鉛筆などを使った技法の確かさに独特のタッチがとても興味深い。大きな画面の構成の妙味とともに明暗の効果も変化に富んでいて迫力がある。一見抽象的でありながら、荒廃した室内のようなイメージだ。独特なマチエールの中の正面の白っぽい壁のような部分にはシミのように見えるものがある。
　そこにはコラージュとして新聞の切り抜きがびっしりと重ねて張りこまれている。青と黄（国旗）の上に「ウクライナ」「侵攻」の文字、その他「南西諸島」「迎撃」「核戦争」などの文字がいや応なく目に飛び込んでくる。それらの言葉は画面全体に不穏な空気を醸し出し、この世における暴力を暗示させる。
　黒と白の世界は廃墟のようにも思われ、近未来の大きな不安を訴えているかのようである。

評－砂川　喜代（会員）

奨励賞

私の居場所(I) （167×96）
澤岻　盛勇

　昨年の沖展賞受賞に続き、今年は奨励賞受賞で２年連続受賞の快挙である。心より拍手を送りたい。
　画家は通常キャンバス上に絵具で自分の思いを表現する。そしてまず描く対象の表現手段を模索する。澤岻さんの作品は寡黙で淡々と描いているように見えて、画面全体を包み込む穏やかで優しい雰囲気と、内面から滲み出る抑えた色調にはゆるぎない強さがある。
　薪ストーブと後方の人物画、おそらくそのモデルの着衣と帽子、スリッパなのだろう。モデル本人はこの絵を俯瞰しているのだろうか？ストーブの魅了的な描写と共に一層リアリティに富んだ不思議な空間を演出している。描くものと描かれたものとの微妙な距離感はまるで舞台装置のようだ。これらドラマチックな配置の美しさと不思議さに空想力を掻き立てられる。それらのことは見事なデッサン力によって裏打ちされたものであるに違いない。
　これから先どのような形で作者独自の展開をみせるかが、今後の課題となるだろう。さらなる活躍を期待する。

評－鎮西　公子（会員）

奨励賞

ニライカナイからの招待状　（143.5×201）
仁添　まりな

　若手実力派の注目をあびる作家である。沖縄県立芸術大学美術工芸学部絵画専攻で琉球絵画の研究を始め、同大学院博士課程を修めた。海外との交易で繁栄した琉球王国が滅亡して150年近くになる。中国、日本の影響を受けながらも、独自に発展した琉球絵画の復興を目指し、制作研究している姿勢が頼もしい。
　今回の受賞作は琉球王国のルーツに連なるだろうか、精神風土の根底にある理想郷「ニライカナイ」をテーマに表現している。岡本太郎が絶賛し、忘れられた古代の信仰が時を超え現在でも脈々と続いている沖縄。ノロの神扇、花、蝶、蝙蝠、鳥、亀、白鷺などの様々なイメージがフラクタルな画像に見えるが、同じ形ではなく違う動植物等に変化していく表現がチムワサワサして面白い。
　CGや画像ソフトで簡単に描ける昨今であるが、作品はもちろん全て手描きである。繊細で緻密な日本画の技法を駆使して独自の世界観を描く作品をじっくり堪能して頂きたい。さらなる表現の幅を広げるであろう今後に期待したい。

評－佐久本　伸光（会員）

奨励賞

廃屋 （177×210） 赤嶺　愼次

　去りゆく沖縄の懐かしい風景である。ノスタルジーを感じると同時に、うごめく物体にも見えてくる。朽ち果てる瓦屋と無造作に転がる壺からは生活の痕跡が伝わり、風雨に耐える姿は現代社会に何かを語りかけているようでもある。

　作者の視点は滅び行く廃屋に正面から向き合い、哀愁の想いを大作に描いた。その強い意志を大いに讃えたい。色調は茶色や朱色等の暖色系でまとめ、キャンバスの地色を活かしながら動きのある筆使いで、古の風や空気感を醸し出し、質の高い作品となっている。

　絵画の表現方法は多様で、描く対象を具現化したり、再構築したり、抽象化したり、技法も含め作者の創造性にゆだねられる。この作品のように、シンプルに絵の具と筆だけで観る人を魅了することも大事な要素である。沖展に10回余の入選歴があり初の奨励賞受賞である。おめでとうございます。

評－金城　進（会員）

浦添市長賞

群青 （194.5×185） 比屋根　清隆

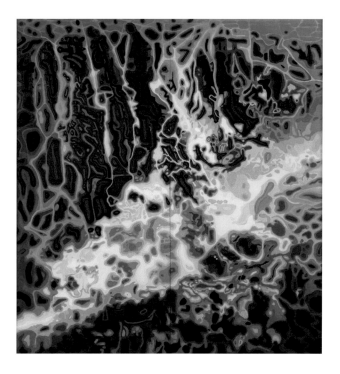

21

うるま市長賞

Confusion　（94×179）
石原　美智子

e-no新人賞

浮遊船　（133×185）　前川　麗香

版画部門

総評ー比嘉　良徳（会員）

　第74回沖展版画部門の出品点数は一般14点、準会員1点の寂しい応募状況であった。審査は挙手と投票の方法により入選と受賞者が決定されるが、例年のように意見が伯仲する場もなくスムーズに進行された。沖展賞、準会員賞は今回「該当者無し」という結果となった。

　奨励賞の安次嶺勝江さん《街の記憶(11)》は街並みを抽象形態で構成し、統一された配色で美しく仕上げ、木版技術の高さを示した作品である。（詳細は別の会員が後述）

　浦添市長賞の遠藤仁美さん《Night Wander》は銅版画の技法を活かした作品で、画面は左右一対で構成されている。そこには様々な植物や昆虫が繊細に描かれ、自然界の命うごめく不思議な世界を醸し出している。ただ画面が白いラインで二分され、作品の奥行や展開（拡がり）が削がれてしまっているのが惜しい。

　うるま市長賞の呉屋純子さんの《flower bed in the park》はレンガ造りの花壇の植物をフォーカスし、一本一本を丁寧に緻密に描写。背景を無くした空間処理で植物を一層引き立てている。銅版画は小作品でも十分に描写力や表現力が発揮できる魅力を持っている。次回の作品を期待する。

　e-no 新人賞の當間優衣さん《贈り物》は孔版のシルクスクリーン印刷である。赤や橙、紫色の大きなバラの花が画面いっぱいに描かれ、そのすき間を埋める緑葉が補色効果を生み出し、色鮮やかで華やかな作品に仕上がっている。

　近年、版画部門への応募者が減少傾向にあり一抹の寂しさを感じる。「版画もやってみたい」と興味を示す人もいるが、絵画に比べると制作工程が煩雑に思われ敬遠する人もいるのだろう。しかし、ほとんどの版画家は絵画から出発している。私自身もそうであるが、版画特有のマチエールに魅かれ、新しい表現の世界へ引き込まれていった。版画は内へも外へも自由に創造の枠を広げることができる魅力的な分野だ。版画へ興味のある人は是非挑戦し、版画の魅力を体感してほしい。多くの挑戦者の登場を期待している

会員作品

COLOR-対比するものⅢ	赤　嶺　　　雅
夢・遊・浮	新　崎　竜　哉
「時の景」石垣と福木に囲まれた家	大　久　保　　　彰
心景(1)	神　山　泰　治
心景(2)	神　山　泰　治
specimen -摺りの工程-	座喜味　盛　亮
シーサー	友　利　　　直
地の声	仲　本　和　子
Form	仲　元　清　輝
景象(道) 2023-C-3	比　嘉　良　徳

準会員作品

うめーしぶだい	池　城　安　武

奨励賞

街の記憶(11)	安次嶺　勝　江

浦添市長賞

Night Wander	遠　藤　仁　美

うるま市長賞

flower bed in the park	呉　屋　純　子

e-no新人賞

贈り物	當　間　優　衣

一般入選作品

風鈴仏桑花と見上げる猫	安次嶺　香　奈
藤娘	新　城　善　春
東ヌ窯をイメージして	新　城　善　春
小さなクワディーサー	呉　屋　純　子
Live drawing 2301	酒　井　織　恵
Live drawing 2302	酒　井　織　恵
街の青	高江洲　　　萌
St.MORGAN（セント・モルガン）	前　川　潤　平

特別展示

記憶の風景 07-1GL	和宇慶　朝　健

specimen -摺りの工程-　（37×105）　座喜味　盛亮（会員）

夢・遊・浮　（60.5×89）　新崎　竜哉（会員）

「時の景」石垣と福木に囲まれた家　（70×50）
大久保　彰（会員）

シーサー　（47×42）友利　直（会員）

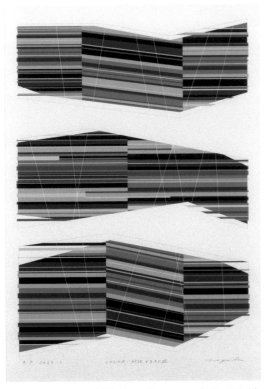

COLOR-対比するものⅢ　（82×58.7）
赤嶺　雅（会員）

Form　（85×55）仲元　清輝（会員）

景象（道）2023-C-3　（90×59）
比嘉　良徳（会員）

心景（1）　（50×75）神山　泰治（会員）

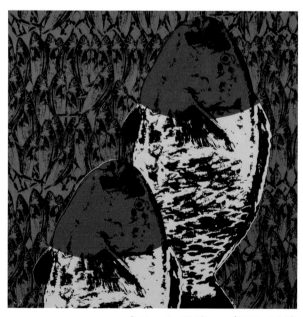

うめーしぶだい　（100×100）
池城　安武（準会員）

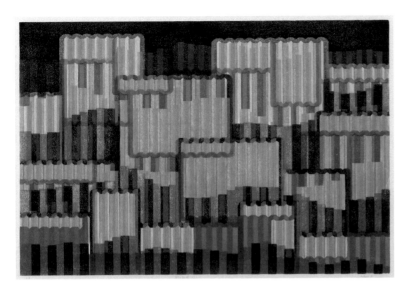

奨励賞

街の記憶(11) (60.5×91) 安次嶺 勝江

　安次嶺勝江氏は、沖展に同じタイトルとなる「街の記憶」シリーズを出展し続けている。

　今回の作品は、前回と印象を変えて街の光と影を表現しているように思われる。安次嶺氏が思い起こした記憶を木版画のゴマ摺りという技法を選び、ザラついた曖昧な記憶として効果的に表現されている。木版の技術面においても直線や曲線がしっかりと丁寧に彫られていて作品に活かされている。

　摺りの工程では、複数枚の版を重ねて摺る場合、大きな版ほど見当を当てて摺るのが難しくなっていくが、今回の作品も見事な多色摺りとなっている。

　デジタル化が進む中で、アナログな木版の制作に根気強くも楽しみながら制作する氏に敬意を表し、今後も木版の可能性を広げるような作品に期待したい。

　奨励賞受賞、おめでとうございます。

評ー座喜味　盛亮（会員）

浦添市長賞

Night Wander (65×83.2) 遠藤 仁美

うるま市長賞

flower bed in the park　（19×28.6）
呉屋　純子

e-no 新人賞

贈り物　（81.5×56）　當間　優衣

彫刻部門

総評－西村　貞雄（会員）

　コロナ禍で約2年半、停滞気味であった。今年の応募数は19人、22点の応募があった。昨年より3人増3点増となったことは、嬉しく思われる。

　作品には実材の木彫、石彫、鉄等と、可塑的な素材の塑像、その他、紙、発泡スチロール、プラスチック等を活用したミクストメディア等、多用な作品も多く見られるようになった。

　沖展賞、吉田タカヨ氏の作品は鉄で量感のあるかぼちゃのような形状を作っている。この作品を選出できたことは応募作品の充実の証しであると考える。奨励賞は2点であり《サンゴ石》は環境面を意識した創作であるし、もう1点の《うねうね》は鉄による線的な集合体でユニークさのある作品である。

　準会員の作品は小品化の傾向があり今後の奮起が望まれる。

　浦添市長賞に仲村春孝氏の《ちんなん（かたつむり）》が受賞した。クワズイモの葉の裏にカタツムリが潜んでいる木彫である。クワズイモの葉っぱや幹を細かい木を張り合わせて制作した作品で、葉っぱの薄さと広がりや幹を細く表わして空間を生かし、その中にカタツムリを取り入れたユニークさのある作品である。

　うるま市長賞の、木とアルミを素材にした作品《Joint—Hall》は、曲面と曲面との構成がリズミカルな空間を造っている。曲面が織り成す空間は光った曲面と陰になったものとの兼合いに美しさを作った作品である。

　e-no新人賞は、琉球石灰岩で制作した《桃？》である。桃のもつ丸みを彫刻的な量感のある塊として捉えた存在感のある作品である。

　応募作品の中に首里城正殿の額木をテーマにした浮彫りが見られた。素材の扱い方や技術の確かさが秀でた作品ではあり、「令和の首里城復元」に関心を与える作品として注目されたが、彫刻部門では創作に力点をおいており、作品名にも「模刻」とあり、模造製作は彫刻にふさわしくないのではないか、と審査で指摘され、選外となった。

　沖展の彫刻部門では、従来、人体をテーマにした作品が多かったが、近年の傾向として価値観も表現も多様化している中で、彫刻作品としての領域に入るか判断を下すことが困難な作品もみられた。

会員作品

空手シリーズ5(引き足)	上 原 博 紀
作陶家 島さん	上 原 博 紀
思い	上 原 よし
「残塊の先」-生々流転-	河 原 圭 佑
散歩道	喜 名 勝 盛 芳
地の声	玉 榮 広
記憶の再生-2023	知 念 良 智
HENKAKU2023	仲 里 安 広
変事	西 村 貞 雄
風とワルツ	與 儀 清 孝

準会員作品

ボランティアへの オマージュ 戦卵	新 垣 盛 秀
消えない家族	伊志嶺 達 雄
S子	髙 嶺 善 昇
生ける	玉 城 正 昌
て	津 波 夏 希

沖展賞

| my heart's form | 吉 田 タカヨ |

奨励賞

| うねうね | 酒 井 貴 彬 |
| サンゴ石 | 戴 素 貞 |

浦添市長賞

| ちんなん(かたつむり) | 仲 村 春 孝 |

うるま市長賞

| Joint-Hall | 中 澤 将 |

e-no新人賞

| 桃? | 安 里 小 和 |

一般入選作品

イヤデス イスデス	池 原 芳 昭
あの日の‥‥‥memorial	神 村 吉 次
火の鳥、襲来阻止!	小橋川 共 三
Roman HA	Sylvia Roman
門-jō-	荷川取 大 祐
夢見るヒージャー	平 敷 傑
少女A	宮 平 艶 子
泡瀬干潟	屋 良 朝 敏
翔	與那嶺 勝 正

変事　（H182×W66×D31）
西村　貞雄（会員）

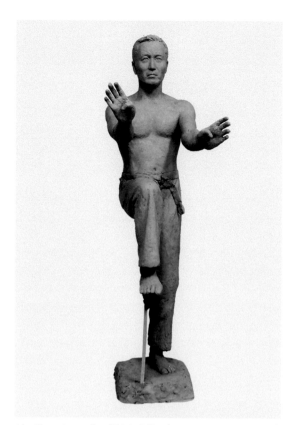

空手シリーズ 5（引き足）　（H130×W35×D60）
上原　博紀（会員）

「残塊の先」-生々流転-　（H82×W48×D22）
河原　圭佑（会員）

風とワルツ　（H160×W60×D60）
與儀　清孝（会員）

思い　（H55×W30×D40）上原　よし（会員）

HENKAKU2023　（H190×W45×D60）
仲里　安広（会員）

地の声　（H84×W55×D78）玉榮　広芳（会員）

て　（H11×W10×D11）
津波　夏希（準会員）

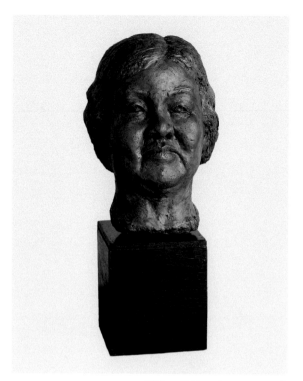

S子　（H35×W23×D23）
髙嶺　善昇（準会員）

ボランティアへのオマージュ 戦卵　（H38×W40×D40）
新垣　盛秀（準会員）

生ける　（H50×42×D42）**玉城　正昌**(準会員)

消えない家族　（H60×W178×D75）**伊志嶺　達雄**(準会員)

沖展賞

my heart's form　（H120×W160×D160）吉田　タカヨ

　本展彫刻部門の会場における吉田タカヨ氏による金属彫刻の存在感は、目を見張るものがある。空間に佇む作品からは、鉄を素材とした曲面表現へのアプローチによる作者の葛藤や気迫が伝わってくるようだ。
　制作年数1年3カ月に及んだ大作は、鉄板の加工や溶接を経て彫刻の量塊を創出し、錆付け塗装による自然な色合いが、さらに作品の重厚感を醸し出している。作品名の「heart's」にあるように、言葉を意識して心情や想いを半球状にかたちづくる過程では、金属素材の硬く冷たい質感とは相反する温かで柔らかい表情を追究している。
　私見としては金属彫刻の大きな塊としての存在感は申し分ないが、鉄板の曲面加工および溶接に至る接合や彫刻の内側から張出す力「緊張感」については、若干弱いと感じている。今後の課題は、鉄板を加工する際は彫刻内部に空間が詰まっているという意識をどう考えていくか、ということになるだろう。
　今後も金属素材と向き合い続け、細部を意識しながら、新たな作品への展開に期待したい。

評－河原　圭佑（会員）

奨励賞

サンゴ石 （H170×W70×D42）
戴　素貞

奨励賞

うねうね （H180×W130×D130）
酒井　貴彬

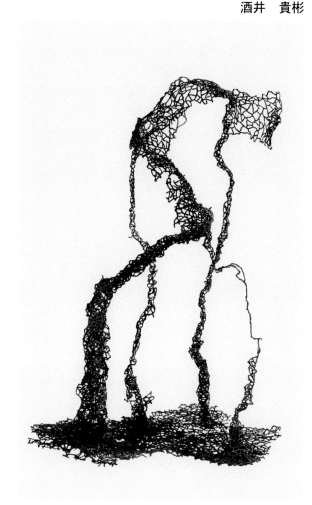

　初出品での奨励賞、受賞おめでとうございます。
　作者は台湾出身で、沖縄県立芸術大学に留学生として来県、沖縄の美しいサンゴの海に大変感銘を受けたようだ。その感動が制作の契機となった。
　作者は、造形の素材としてペットボトルを選び、創作活動を行っている。受賞作に使用した回収ペットボトルは、700本で驚嘆する数である。作品は直立的でシンプルな造形ではあるが力強く、Y形に枝分かれた上方部は、躍動的で生命の息吹を感じさせる。サンゴの質感も見事に表現している。作者の豊かな感性と、素材の特性を生かした力作である。
　ペットボトルには海洋汚染問題等でマイナスのイメージを持っていたが、作品《サンゴ石》に変身（リサイクル）した姿を目の当たりにし、素材としての可能性や面白さを実感した。作者には、ペットボトルの素材のさらなる探求を重ね、新たな展開を期待する。

評－上原　博紀（会員）

　作品全体の構成は、溶接技法で薄鋼板上に鉄を熔かし込んだパーツを網目状に融接（接合）した立体で、大小様々な網目が地から天へ伸びていくさまは、あたかも生命を得た植物的な茎を連想させ、動的に浮遊するリズミカルな曲線は、底へと透過し地下へも伸びていくイメージが膨らむ。
　線で構成した作品は、見る角度を変えるとフォルムに奥行きと量感を感じさせ、内側と外側の流れるような曲がりくねった線が、複雑に絡み合い空間に拡がりと生命感を生み出している。無機質な鋼材が制作過程で素材感を持った量塊へと変わり、凝縮した時間を費やすことで透かし見える層が形成され、間隙のリズムが重なり合う作品へと変わった。
　酒井氏が第71回展、第73回展に「e-no 新人賞」を二度受賞した作品も空間を意識した鉄の作品であったが、今回の受賞作《うねうね》は自身の感性と真摯に向き合いながら素材と対峙し、研究されたことがうかがえる。
　完成度が高く密度のある表現で、独創性を感じた作品になっている。

評－知念　良智（会員）

浦添市長賞

ちんなん（かたつむり）（H218×W180×D150）
仲村　春孝

うるま市長賞

Joint-Hall　（H130×W130×D73）
中澤　将

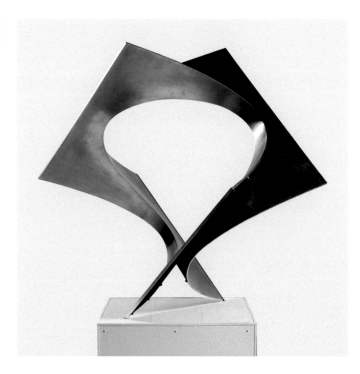

e-no新人賞

桃？ （H26×W23×D20）
安里　小和

グラフィックデザイン部門

総評－玉城　徳正（会員）

　第74回沖展グラフィックデザイン部門の出品数は一般応募、準会員ともに前回より微増ではあるが、若い世代の応募が依然として少ないのが気になる。準会員の出品数は6名10点。準会員賞は、川平勝也さんのポスター「NO WAR！」と中井結さんのイラストレーション「それから」に決定。（各講評、参照）

　一般応募作品は34点（うちU30は6点）。今年も全体的にイラストレーション単体の作品が多かった。グラフィックデザイン部門への出品作品は、制作者のメッセージを伝える手段としてイラストレーションや、写真やタイポグラフィーなどを活用・展開した多様なビジュアルデザインの作品を期待する。結果は以下の通り。

　正賞の「沖展賞」は該当作なし。「奨励賞」は、棚原麻里奈さんの切り絵「回帰」と、ヨウ・キイさんのデザイン「小寒」に決定。そして棚原麻里奈さんが準会員推挙となる。さらなる研鑽を積み作品づくりへのチャレンジを期待する。（各講評、参照）

　特別賞「浦添市長賞」は、ウエズタカシさんのポスター「フェンスと青空」は、沖縄復帰50年のポスターでフェンスの中の沖縄を訴求しているデザインはシンプルで分かりやすいが、メッセージを伝えるためにコピーの処理（レイアウトやフォント、カラーなど）に一工夫が欲しい。

　特別賞「うるま市長賞」は、大城愛香さんのイラストレーション「umi」。海の中の自然や生物の特徴を掴み、カラフルでユーモラスに表現したイラストレーションは、自然の営みのストーリー性もあり完成度が高い。しかしイラストレーション単体より素材を活かしたデザイン展開すると、より多様なデザインの可能性が広がる。

　「e-no新人賞」は、稲嶺優子さんのポスター「スモールギフト」。クリスマスツリーとオーナメントが散りばめたイラストレーションで表現された作品。イラストは独特の世界観があり評価されたが、ポスターとしてメッセージを伝えるためには何らかのコピーが欲しい。

森沢山　（B1）島尻　一成（会員）

「琉球王国トランプ」英語版
販売促進ポスター　（B1）知念　仁志（会員）

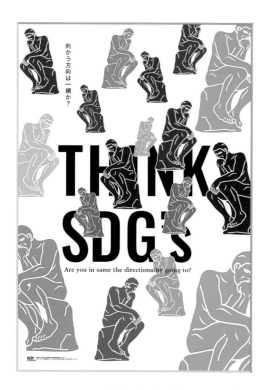

Think SDG's #005　（B1）
ウチマヤスヒコ（会員）

「普天間小学校新校舎壁画『私たちのガジュマルの木』」
（H145×W57）
大村　郁乃（会員）

five spirits 1 （B1） 玉城　徳正(会員)

齋藤悌子 CDデビューアルバム
"A Life with Jazz"ポスター　（B1）
キムラロメオ(会員)

Original Work　（B1）知念　秀幸(会員)

NO WAR！ （B0） 川平　勝也（準会員）

　戦争を象徴するミサイルのシルエット、悲しみに打ちひしがれた涙、戦争に反対する抗議の叫び、頭蓋骨のように見えるフォルムとタイポグラフィで、戦争の惨禍による悲痛な表情を表現した反戦のポスター。

　モノトーンの配色と顔全体に広がるノイズ、ステンシル（文字をくり抜いた型）でペイントしたかのような文字の掠れや潰れがより不安を掻き立て、顔の輪郭のジャギー（低解像度による階段状のギザギザ）をあえて残すことで危険、破壊、損傷などがイメージできる。

　連作の「STOP WAR!」も同様にシンプルな構図で強いメッセージがダイレクトに伝わる作品だが、表情により悲愴感のある「NO WAR!」が入賞となった。

　国境を超えて誰が見てもわかりやすくデザインされたポスターは、国際公募展、国際招待展など積極的に反戦の作品を発表している川平さんの平和への想いが伝わる。

　日々テレビから映し出される残酷で色のない世界。1日も早く平和な世の中が訪れることを心から願う。

評－島尻　一成（会員）

準会員賞

それから　（B1）中井　結(準会員)

　「絵画にしろ他の芸術にしろ、卓越した作品を生み出そうと意を決したなら、朝起きてから夜の眠りにつくまで全精神をそこに傾けなければいけない」（画家／ジョシュア・レノルズ）
　中井結さんはこのような姿勢で作品を制作して、2013年奨励賞、2014年沖展賞に輝いている。
　作品の右隅に、おかれた鉛筆がある。小さな赤色鉛筆が異界へと誘う。現実と虚構、美と醜、生と死など、両極にある現象が不可思議に共存している。温かくて曖昧な世界から離れられずに、まどろむときの感覚。身体的な感覚や本能的な感性が、幸福に痺れて陶酔する。やはり、妖しくも美しい独特の雰囲気を持つイラストレーションである。
　叙情的であり、エロティックに描かれているが作者自身の内面と外界、生と死など精神世界へと見る者を引き込む。少女たちそれぞれの表情、情景、情感などストーリー性はまだまだ今後も続くだろう。

評－知念　秀幸（会員）

楽園・夜桜の宴　（B1）**仲本　京子**（準会員）

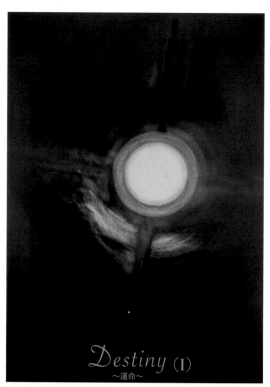

Destiny（Ⅰ）～運命～　（B0）
仲里　都貴江（準会員）

OKINAWA　（B1）**山里　永作**（準会員）

琉球漫画　（B1）**沖田　民行**（準会員）

奨励賞

回帰 （B0）棚原　麻里奈

　棚原麻里奈氏はこれまで、輪廻転生を思わせる、生と死後について考えさせられる作品を制作してきた。

　今回の受賞作品のタイトル「回帰」は、一般的にはもとの位置または状態に戻ること、あるいはそれを繰り返すという意味であり、これまでの作品と同様の命あるものが何度も転生する印象を受け、こだわりを感じた。

　作品サイズはB0の大作で前回の2倍に拡大しながら、切り絵の緻密さはこれまでと変わらず同様に制作されている。世界最大のほ乳類のクジラをメインにトビウオ、ブダイ、オウムガイ、鳥、花、植物など様々な生き物を表現している。

　切り絵は、浮かせて立体的にしており、クジラやトビウオが画面から飛び出している感じが効果的に表現され、作品に対する情熱や強い思いを感じた力作である。

　グラフィックデザインには、文字が入らないイラストのジャンルもあるが、物事を伝える時は文字により、見る方にしっかり伝わる事が重要になってくる。

　今回で3回目の奨励賞受賞は実力の証であり、今後も繊細な切り絵を楽しみにしている。

評－知念　仁志（会員）

奨励賞

小寒 （B1）ヨウ・キイ

　作者のヨウ・キイさんは昨年に引き続き2年連続の奨励賞受賞である。

　タイトルの「小寒」とは、太陰太陽暦の二十四節気の一つであり、現行の太陽暦では1月6日、「寒の入り」の頃を示す。受賞作は、タイポグラフィーとカリグラフィーを効果的に組み合わせ、その季節感を書体と書き文字、図形で構成することで、自然の趣を生き生きと表現した秀作である。

　「寒」の文字のうかんむりの横画の部分を外しながら、うかんむりの「ウ」と同時に小寒の「小」の字を浮かび上がらせている。画面下部の、左払い、右払いの部分は、三角屋根に雪の積もったフォルムのようにも見えれば、暗い夜に向かう雪道のようにも見える。その中央には、人の歩いた足跡の漆黒が2歩分、象られている。

　また、上下を繋ぐように、赤いシャープなラインが縦横に走っている。それは、雪の白と夜の黒とをつなぐ、なんらかの作用、あるいは、人間を含めた自然界の営みを表現しているようにも見えた。

　作家のヨウ・キイさんは、生まれた蘇州での体験、育まれた大自然の中での記憶からインスピレーションを受け、作品に投影しているように思う。それは、四季折々の美しさ、優しさ、そして厳しさの体験を、グラフィックデザインに落とし込む作業ともいえよう。

　ヨウさんには、蘇州、沖縄、これから赴くという東京、それぞれの場所のそれぞれの土地の色を、形を、そして趣きを、これからも丁寧に表現していってほしい。

評－ウチマヤスヒコ（会員）

一般応募作品

浦添市長賞

フェンスと青空 （A1）
ウエズタカシ

まだ届かない青空。
51年目の夏、沖縄。

#沖縄復帰50年

うるま市長賞

umi （B1）大城　愛香

e-no新人賞

スモールギフト　（B2）稲嶺　優子

書芸部門

総評ー運天　雅代（会員）

　新型コロナウイルス感染症も4年目となり、収束とはいかないがウィズコロナ対策で少しずつ日常生活を取り戻しつつある。沖展審査も昨年は各会派代表18名に絞って行ったが、今年は33名の審査員が参加して行われ、久しぶりに活気が戻った審査となった。とはいえ油断することなく時間短縮を意識しながら行った。

　まず一般応募作品はU30の22名、U20の3名を含む268点（漢字197点、調和体23点、仮名34点、篆刻10点、前衛4点）で前回より32点の増、準会員応募点数は前回より2点の減であった。

　種別に関わらず総覧は無しで、過半数の17点を入選ラインとし、同時に賞候補を推薦する方式をとった。最終的に入選率の関係から19点以上とラインを上げ、206作品が入選となった。

　賞候補に推薦された作品は22点で3回の厳正なる投票の結果、沖展賞に島袋園子さん、奨励賞に金城久弥さん、謝名堂奈緒子さん、福原美枝さん、大田安子さんの4名、浦添市長賞に知念一正さん、うるま市長賞に呉屋純媛さん、e-no新人賞に知念彩香さんが選ばれた。沖展賞の島袋園子さんは今回の受賞で準会員に推挙された。

　正賞の評は総評では省き、特別賞に言及したい。二度目の浦添市長賞の知念一正さんは潤渇メリハリがあり重厚さのある作品で、うるま市長賞の呉屋純媛さんの篆刻作品は朱文、白文とも緻密に計算され整然とした作である。e-no新人賞の知念彩香さんは単体の行草体を力強く表現され、一貫性があり行間をすっきりとまとめあげた作だ。

　準会員賞の選考においては全27作品を総覧し、計3回の投票の結果、漢字の我喜屋ヤス子さん、仮名の新里明美さんの2作品が準会員賞を受賞した。お二人とも二度目の準会員賞受賞で規定により、会員に推挙された。

　入選入賞した方々は日頃の研鑽が実を結び開花したものだと思う。また今回惜しくも入選入賞を逸した方は、この苦い経験をバネに再挑戦してもらいたい。そして結果だけではなくその経過が大切で自己を成長させる糧となることを信じて精進することを願う。

<前期・後期>

会員作品

何事 思煩 感謝 祈願	東 江 順 子
雲従龍風従虎	安 里 牧 子
戴仁	運 天 雅 代
臨済録	大 城 武 雄
蘇東坡詩	大 城 稔
春申君祠 他三首	大 山 美代子
日有笑	我喜屋 明 正
宮中題	我 部 幸 枝
童神	神 山 律 子
船出	小 杉 紘 子
琉歌-ながれゆる水に…	砂 川 米 市
釣臺(台)	砂 川 榮
澄懐	田 名 洋 子
寶船	茅 原 善 元
語句	渡名喜 清
鳥啼山更幽	名 嘉 喜 美
燕山春暮	仲 里 徹
菜根譚	長 浜 和 子
孟浩然詩	仲 村 信 男
袁景休詩	中 村 裕 美
代々にさかえ	仲 本 清 子
夜坐	西蔵盛 英 雄
寛仁大度	比 嘉 邦 子
和平・不戰	比 嘉 良 勝
老復丁	東恩納 安 弘
永和九年・面壁九年	前 田 賢 二
夏は来ぬ	眞喜屋 美 佐
春逐鳥聲開	宮 里 朝 尊
春	村 山 典 子
命どぅ宝	盛 島 高 行
将至呉中親旧多 来相迓感懐有作	山 城 篤 男
かれよしの遊び	山 城 美智子
曹松「己亥歳」より	与那嶺 典 子

準会員賞

酎秦系	我喜屋 ヤス子
うれしごとのせて	新 里 明 美

準会員作品

許渾詩 他二首	伊野前 喜美子
王維詩	上 門 かおり
苑成大詩	上 地 徹
王微詩 他三首	上 原 貴 子

送李少府貶峡中 王少府貶長沙	上 原 孝 之
蔡温詩 勘手納曉發	上 原 善 輝
蔡大鼎詩	上 間 志 乃
宿誂公房曉起偶成 他三首	金 城 めぐみ
送顧啓姫北上	幸 喜 石 子
黄山谷詩	幸 喜 洋 人
杜甫詩	城 間 律 子
寒山詩	島 尚 美
侍宴安楽公主新宅應制	島 崎 サダェ
塞鴻帰欲盡 他二首	新 里 智 子
和氏之壁 桃李成蹊 修徳立義 温慈恵和	田 頭 節 子
ゆうなの花	玉 城 笙 子
花橘	渡 慶 次 喜代美
元稹詩「夜坐」	豊 平 美奈子
李白詩	仲宗根 司
蔡大鼎詩	仲 舛 由美子
旅情	西 澤 恒 子
楷書千字文	福 原 兼 永
「新古今和歌集」より	松 田 征 子
楓橋夜泊	松 堂 康 子
徒然草	吉 田 優 子

沖展賞

屈原塔 他一首	島 袋 園 子

奨励賞

白下 他二首	大 田 安 子
西句橋	金 城 久 弥
厲鶚詩	謝名堂 奈緒子
海	福 原 美 枝

浦添市長賞

鄭谷詩	知 念 一 正

うるま市長賞

畢業歌	呉 屋 純 媛

e·no新人賞

十四夜待月	知 念 彩 香

49

＜漢字＞

春夜喜雨・題玄武禪師屋壁・送遠 —— 赤 嶺 志 麻
廃瑟の詞 他一首 —— 赤 嶺 隆 子
代聖集贈別 他一首 —— 赤 嶺 美智子
蔡大鼎詩 —— 安 里 弘 子
王維詩 —— 天 久 美津枝
春江 他二首 —— 新 垣 惠津子
漢詩二首 —— 新 垣 絹 枝
飲中八仙歌 —— 新 垣 貴 子
題沈秀君抱書圖 —— 新 城 直 樹
趙嘏詩 —— 新 城 円 香
漢詩二首 —— 池 原 米 子
蔡大鼎詩 —— 伊 佐 直 美
解組歸隨園 —— 石 垣 光 枝
送羅萬峯 其一 —— 石 川 幸 子
漢詩 —— 石 川 美津子
宿淮浦寄空文明 李端 —— 石 原 淳 子
七言律詩二首 —— 稲 嶺 法 子
蔡大鼎詩 —— 伊 波 エツ子
陸龜蒙詩 —— 伊 波 瑠実子
論詩三十首のうち八首 —— 伊 禮 かおる
由南昌至吉安舟行雑詩 其一、其二 その他一首 —— 上江洲 アケミ
入境寄集賢林舎人 —— 上江洲 トヨ
雨登湘中閣眺望 —— 上江洲 留 易
七言律詩三首 —— 上江田 敏 博
唐詩 —— 上 原 妙 子
春江花月夜 —— 上 原 千枝美
西句橋 —— 上 原 康
唐詩 —— 上 間 智 子
蔡大鼎詩 —— 内 間 カズ子
復送世恩得鳥字送人還京 —— 宇 良 樹 希
新涼 他一首 —— 浦 崎 康 哉
灩亭同麻知幾賦 —— 大 城 江美子
梅堯臣詩 —— 大 城 さやか
蔡鼎詩 —— 大 城 千 春
漢詩三首 —— 太 田 節 子
漢詩 —— 太 田 美枝子
漢詩 七言律詩 —— 小 川 和 美
蔡大鼎詩 —— 奥 濱 喜美子
古意 —— 翁 長 淳
蔡大鼎詩 —— 翁 長 実 加
感春雑詠 其二 —— 小野寺 清 光
秋夜宿淮口 —— 兼 島 直 美

琉球漢詩 —— 神 里 和 子
菊池渓琴詩 —— 神 谷 希
蔡大鼎詩 —— 香 村 春 乃
曉至湖上 —— 亀 川 盛 敏
蔡大鼎詩 —— 川 上 タケミ
蔡大鼎詩 —— 川 上 秀 子
擬陶 —— 川 満 廣 子
蔡大鼎詩 —— 喜 納 八重子
蘇秀道中 他一首 —— 喜屋武 美佐子
望薊門 —— 金 城 綾 子
朱存理詩 —— 金 城 清
李順詩「宿瑩公禪房聞梵」 —— 金 城 翔 太
蔡大鼎詩 —— 金 城 美恵子
春雨夜坐 —— 金 城 侑 樹
蔡大鼎詩 —— 久 志 すぎの
姚氏野春堂 —— 國 吉 真 吾
積雪初盡晩晴忽開 —— 桑 江 美恵子
悠悠 —— 桑 江 遼
陸游詩 —— 古 賀 日奈子
感懐 —— 小橋川 スガ子
蘇東坡詩 —— 米 須 浅 美
舒位詩 —— 佐久川 俊 英
李白詩 —— 佐渡山 香
劉兎錫詩 —— 座 安 あかり
蔡大鼎詩 —— 島 田 直 子
漢詩二首 咸陽城東楼 秋夜長 —— 島 津 和 美
雨宿桃源菴 —— 下 地 京 子
茶香 —— 謝 花 万寿子
旅興 其三 —— 城 間 法 恵
漢詩 代聖集贈別 —— 城 間 ハツエ
支公禅院 —— 新 立 紀美子
杜甫詩 —— 新 屋 まり子

＜調和体＞

漁業の歌 —— 大 城 喜美子
故郷の空 —— 大 城 知 子
スキー —— 嘉 数 未 美
あおげば尊し —— 川 上 凪 砂
椰子の実 —— 金 城 雅 之
海 —— 金 城 李 美
二宮金次郎 —— 久保田 麻 里

＜仮名＞

山桜 —— 秋 広 美智子
和歌二首 —— 上 原 レイ子

手毬 —— 大 城 優 花
茂吉の歌 —— 上運天 春 菜
はつしぐれ —— 亀 谷 洋 子
春の淡雪 —— 宜壽次 政 代
「山家集」より —— 喜 納 竹 子
月見草 —— 喜友名 正 子
山吹 —— 喜友名 晴 香
夜の星の・・・ —— 佐 敷 博 美
春のゆくへ —— 志 田 美代子

＜帖・巻子＞

蔡大鼎詩 —— 川 中 留 美
千可よれば冬の歌 —— 諸見里 史 子

＜篆刻＞

天地一家春 不知老之将至
抱德煬和 風光可愛 —— 安 里 涼 子
近作四顆 —— 上 間 順 子
順風満帆 画龍点睛(精)
虚心坦懐 泰然自若 —— 上 間 道 子
福寿康寧 経世済民
老當益壮 敬天愛人 —— 須 藤 保

＜漢字＞

冬日偶然作	鈴 木 千 鶴
代阮籍詠懐 其一 他一首	平 良 祥 太
游邵氏園	髙 橋 直 美
西句橋	髙 嶺 善 仲
清流関	髙 良 艶 子
蔡大鼎詩	田 場 愛 子
江楼望郷寄内	田 端 喜 代
解組歸隨園	玉 城 耕 三
程順則詩二首	玉 木 園 子
琉球漢詩	玉那覇 明 美
遊斜川 他一首	玉那覇 すみ子
呉錫麒詩	玉 寄 里 沙
漢詩二首	田 港 玲 子
興史郎中欽聴黄鶴 楼上吹笛	知 念 栄 子
王維詩「遊化感寺」	知 念 美和子
眼中 他一首	津嘉山 すみえ
雑詩	津 波 津賀子
蘭亭	當 間 綾 子
又録別	渡具知 淳 子
暮春	渡 口 葉 子
李太白詩	富 村 朝 浩
舟行逢雪圖出山	冨 村 夏 子
蔡大鼎詩	富 山 美智子
霽夜 他一首	友 寄 恵 子
旅夜書懐、春宿左省、 春日憶李白	豊 平 美栄子
秋日観稼楼暁望 他二首	長 堂 加代子
夜半	長 嶺 こず枝
蔡大鼎詩	仲 村 冴 子
月下獨酌 他三首	永 山 千 里
蔡大鼎詩	西 平 利美子
蔡大鼎詩	比 嘉 さつき
蔡大鼎詩	比 嘉 るみ子
韋応物詩	東徳嶺 輔
感懐	平 田 真 子
漢詩二首	柊 﨑 ケイ子
亂後登凌雲臺	古 堅 直 子
塞下曲 外一首	星 川 初 見
釣臺	前 里 勝 吉
蘇東坡戯子由題	真栄田 義 之
述懐 他二首	真 壁 恵 子
賈島詩 他一首	真 謝 幸 代
徐渭詩	益 井 健 次

有寄 他一首	松 本 弘 子
懐いを詠ず	嶺 井 由起子
秋山懐友	宮 城 正 一
舟中・客堂の秋夕	宮 城 政 子
蔡大鼎詩	宮 城 みち子
擬古	宮 城 恵
蔡大鼎詩	宮 城 律 子
桃花歌	宮 城 律 子
蔡大鼎詩	宮 里 えり子
漢詩二首	宮 里 民 子
春の詩	宮 平 妃女花
客中夜坐	宮 本 康 申
春光	本 原 繁
蔡大鼎詩	屋 宜 由季奈
許正蒙詩	山 川 結 加
詠懐 其一	山 里 昌 輝
文章烟月 他一首	山 城 捷 明
重過雨花臺望江有感	山 城 洸 大
蔡大鼎詩	屋 良 美 香
秋蓮 他二首	与 儀 ふじ江
湖上 他二首	与 儀 好 子
送儲邕之武昌 月下獨酌 送張舎人之江東	与 那 弘 子
岑參詩二首	與那城 千恵子
蔡大鼎詩	與那覇 初 子
蔡大鼎詩	與那覇 律 子
送王陽明謫官龍場驛	饒 辺 聖 子
横江詞	湧 田 市 子

＜調和体＞

美しき天然	古 謝 政 子
浜千鳥	後 藤 豊 彦
紅葉	小 西 雅 巳
椰子の実	坂 井 美 海
美しき天然	新 里 和 枝
美しき天然	田 島 誠
鉄道唱歌 東海道編	津嘉山 典
浜辺の歌	比 嘉 美津子

＜仮名＞

春の苑	平 良 花 鈴
蛍	髙 木 珪 子
業平朝臣の恋歌	當 間 秀 美
くれなゐの	渡久地 美佐子
月代に	渡名喜 香代子

宇治の柴舟	仲栄真 律 子
秋風	仲 里 美智子
新古今和歌集より春の歌五首	仲 里 美代子
新しき年	仲 程 一 美
山吹の花	仲 村 妙 子
古今和歌集 春の歌	中 山 華 鈴
春は花	新 田 千賀子
梅の花	比 嘉 昭 子
桜さく	比 嘉 栄 子
うちなびく春	宮 城 多佳子
古今和歌集より四首	與那覇 博 美
姫松	饒平名 真由美

＜篆刻＞

近業三顆	髙 良 正 美
近業四顆	富 山 由紀江
近作三種	宮 平 保 彦
射将先馬 通暁暢達 和顔愛語 飲馬投銭	山 城 千恵子

＜前衛＞

Ryu	岸 本 泰 子
稀	山 田 瑠 美

51

春逐鳥聲開
宮里　朝尊（会員）
（232×53）

寶船
茅原　善元（会員）
（230×53）

夜坐
西蔵盛　英雄（会員）
（228×53）

鳥啼山更幽
名嘉　喜美（会員）
（242×60）

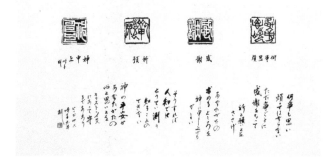

(35×70)　　　　　　　何事　思煩　感謝　祈願
　　　　　　　　　　　　東江　順子（会員）

代々にさかえ
仲本　清子（会員）
（226×53）

釣臺(台)
砂川　榮（会員）
（240×60）

命どぅ宝
盛島　高行（会員）
（184×86）

（70×135）　　　　　　　　雲従龍風従虎　安里　牧子（会員）

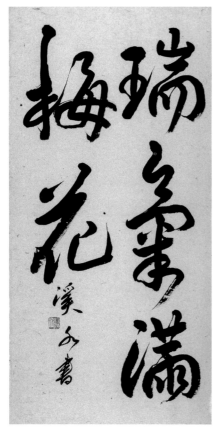

語句
渡名喜　清（会員）
（128×66）

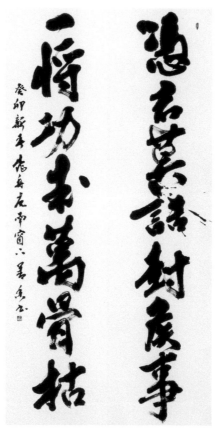

曹松「己亥歳」より
与那嶺　典子（会員）
（135×70）

戴仁
運天　雅代（会員）
（135×70）

(60×180)

臨済録　大城　武雄（会員）

孟浩然詩　仲村　信男（会員）

(170×50)

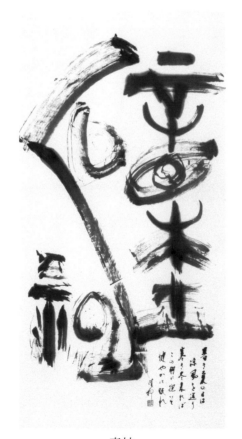

童神
神山　律子（会員）
（135×35）

澄懐
田名　洋子（会員）
（135×70）

会員作品

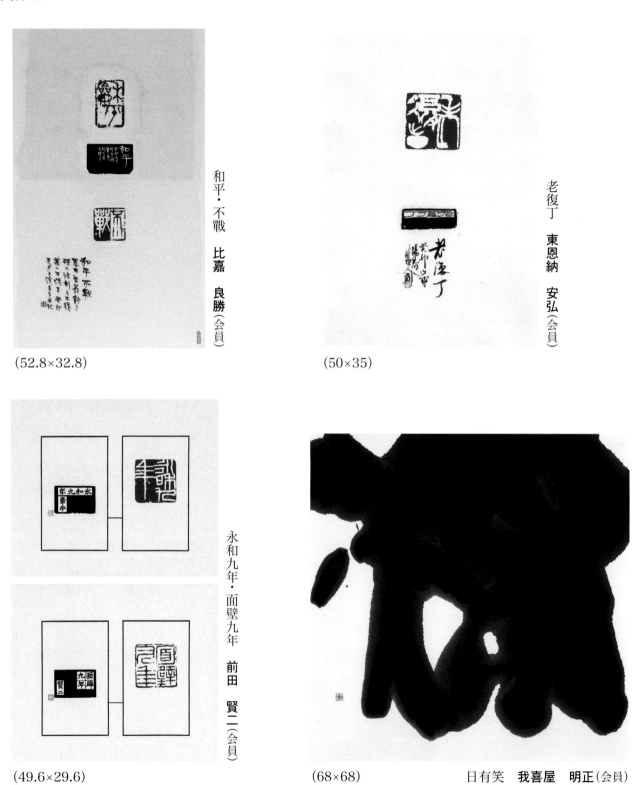

和平・不戰　比嘉　良勝（会員）

（52.8×32.8）

老復丁　東恩納　安弘（会員）

（50×35）

永和九年・面壁九年　前田　賢二（会員）

（49.6×29.6）

（68×68）　日有笑　我喜屋　明正（会員）

56

（30×350）　　　　　春申君祠 他三首（部分）　**大山　美代子**（会員）

寛仁大度　**比嘉　邦子**（会員）

（50×30）

（35×136）　　　　　琉歌 - ながれゆる水に…　**砂川　米市**（会員）

（60×180）　　　　　船出　**小杉　紘子**（会員）

57

(70×175)　　　　　　　　　　　　　　　燕山春暮　仲里　徹(会員)

(70×135)　　　　　　　　　　　　　　　菜根譚　長浜　和子(会員)

(70×173)　　　　　　　　　　　　　　　宮中題　我部　幸枝(会員)

(70×175)　　　　　　　　　　　　　　　　蘇東坡詩　大城　稔(会員)

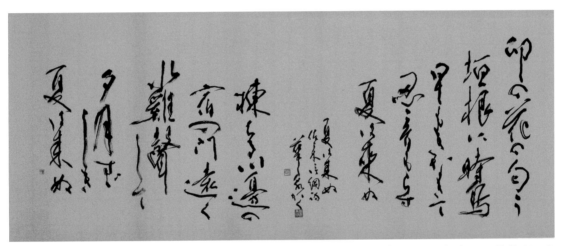

(70×170)　　　　　　　　　　　　　　　　夏は来ぬ　眞喜屋　美佐(会員)

(70×175)　　　　　　　　　　　　　　　　袁景休詩　中村　裕美(会員)

会員作品

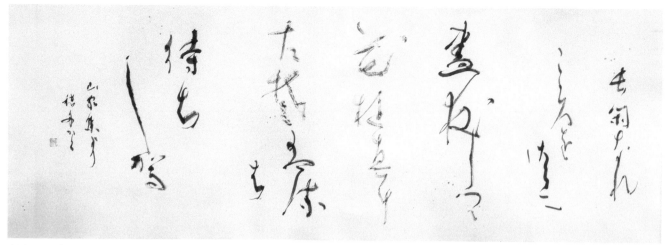

（60×172）　　　　　　　　　　　　　　　　　　　　　　　春　村山　典子（会員）

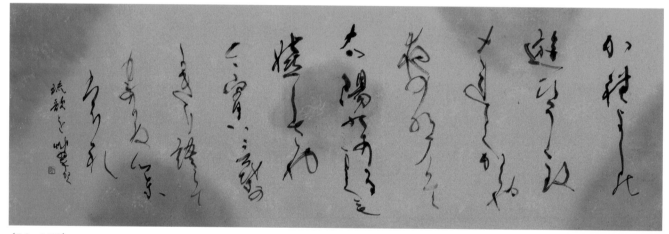

（60×170）　　　　　　　　　　　　　　　　かれよしの遊び　山城　美智子（会員）

（53×170）　　　　　　　　　将至呉中親旧多 来相迂感懐有作　山城　篤男（会員）

準会員賞

(85×170)

酔秦系　我喜屋　ヤス子（準会員）

　雄大な自然を観ているかのような迫力ある素晴らしい作品です。豊富な経験と長年の修練により培われた用筆が、羊毛の特徴を活かして筆を自在に開閉させ、躍動ある線や渇筆、墨色の妙を楽しませています。

　文字の配置、線の太細、墨の潤渇、余白の疎密など緻密な構成がなされていることで豪快な筆致にもかかわらず窮屈さを感じさせていません。また、一貫して気迫のこもった運筆が観るものを圧倒する迫力ある作品にしていると思います。

　私見になりますが、制作過程は、人それぞれ異なると思います。この作品は、最終的に修得した技術を内に秘め、評価や結果に拘ることなく、唯々作品への情熱を筆に込めて書き上げたのでは、と感じました。そこに私は感動を覚えたのだと思います。何か大切なことを教え示す作品の一つだと思います。

　これからも益々のご活躍をご期待申し上げます。準会員賞受賞、会員推挙おめでとうございます。

評－山城　篤男（会員）

準会員賞

(60×180)

うれしごとのせて　新里　明美(準会員)

　淡い墨色と紙の彩色がマッチした、まさに春の到来を感じさせてくれる爽やかで格調高い作品。「うれしごとのせて」と題した琉歌の三首を気負いなくスッキリとまとめた力作である。全体的に見ると特に墨継ぎの箇所と墨量はバランスが良く、三首ながらもテンポの良いリズムが心地よい。

　一行の中の疎密の変化も空間を最大限に生かし雑多感がない。さらに焦点を絞ると、序盤の＜うれしごとの世天＞の両脇の行間、始まりを知らせる深呼吸のようだ。三行目の＜弾き遊る三味線の＞は勢いよくスタートを切った強さがあり、それを受けて展開される主軸＜二葉から出ぢて＞はさりげない墨継ぎと疎密の変化が絶妙。加えて弾力ある線質と稔転による線条の変化は渇筆部分まで続き、立体感と歌の荘厳なイメージをも醸し出した。後半＜松の＞は、やや大ぶりだが曲線の動きが明るく、結びへの起動力となっている。

　どこを切り取ってみても丁寧で慎重な筆遣いから作者の長年の努力と学びの跡が窺える。作品から滲み出るさりげなさは書き込んだ証といえよう。己に満足せず更なる進化を求めて邁進することを期待したい。会員昇格を祝します。

評−仲本　清子（会員）

宿説公房暁起偶成 他三首
金城　めぐみ（準会員）
（230×53）

送李少府貶峡中王少府貶長沙
上原　孝之（準会員）
（230×53）

楓橋夜泊
松堂　康子（準会員）
（227×52）

王微詩 他三首
上原　貴子（準会員）
（230×53）

侍宴安楽公主新宅應制
島崎　サダエ（準会員）
（228×53）

元稹詩「夜坐」
豊平　美奈子（準会員）
（227×53）

杜甫詩
城間　律子（準会員）
（228×53）

李白詩
仲宗根　司（準会員）
（225×53）

楷書千字文
福原　兼永（準会員）
（230×53）

塞鴻帰欲盡 他二首
新里　智子（準会員）
（227×53）

（40×70）　　和氏之壁 桃李成蹊 修徳立義 温慈恵和
田頭　節子（準会員）

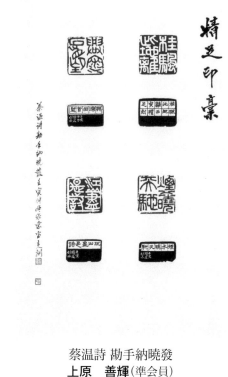

蔡温詩 勘手納曉發
上原　善輝（準会員）
（54.5×34）

準会員作品

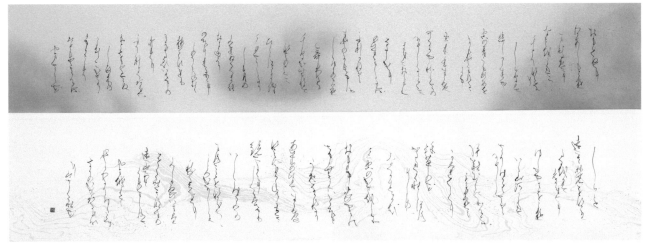

(60×180)　　　　　　　　　　　　　　　　　　　　旅情　西澤　恒子（準会員）

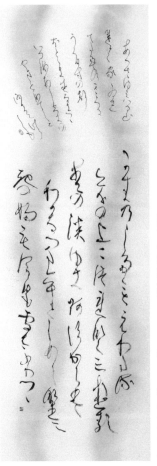

「新古今和歌集」より　松田　征子（準会員）

(175×60)

送顧啓姫北上　幸喜　石子（準会員）

(170×80)

苑成大詩　上地　徹（準会員）

(175×70)

66

(60×180)　　　　　　　　　　　　　　　　　　　　花橘　渡慶次　喜代美（準会員）

(70×135)　　　　　　　　　　　　　　ゆうなの花　玉城　笙子（準会員）

(81×170)　　　　　　　　　　　　　　黄山谷詩　幸喜　洋人（準会員）

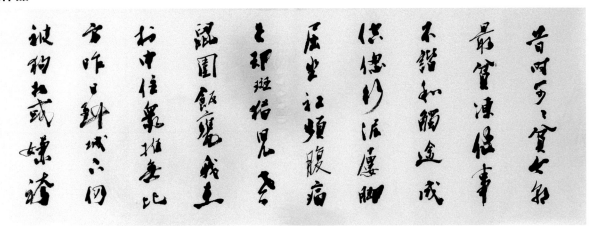

(34×380)　　　　　　　　　　　　　　　　　　寒山詩（部分）　島　尚美（準会員）

(70×138)　　　　　　　　　　　　　　　　　　徒然草　吉田　優子（準会員）

(35×325)　　　　　　　　　　　　　　　　　　王維詩（部分）　上門　かおり（準会員）

68

(35×384)　　　　　　　　　　　　　　　　蔡大鼎詩(部分)　**仲舛　由美子**(準会員)

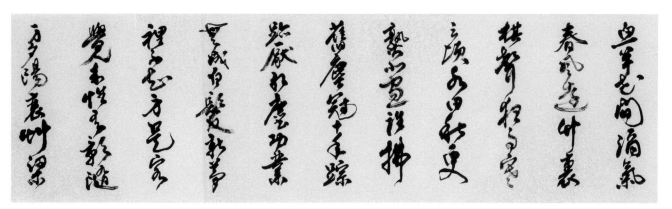

(35×337)　　　　　　　　　　　　　　　　許渾詩 他二首(部分)　**伊野前　喜美子**(準会員)

(34×380)　　　　　　　　　　　　　　　　蔡大鼎詩(部分)　**上間　志乃**(準会員)

沖展賞

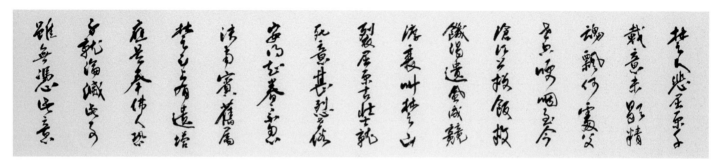

(35×342)

屈原塔 他一首(部分)　島袋　園子

　沖展賞受賞、並びに準会員推挙、誠におめでとうございます。
　落ち着きのある爽やかな作品に仕上がりました。作品はあまり変化を求めず、リズム良く書かれています。料紙の色も良くマッチして作品をより一層引き立てています。
　作者は、これまで数回浦添市長賞、うるま市長賞も受賞した実力者です。持ち前の前向きな姿勢が、今回大きく実を結びました。
　巻子は、仕上がりに長時間を要し、最後まで集中力を維持するのは忍耐がいります。
　これからも更に深く古典を学ばれ、広く勉強もされ、格調ある作品作りに研鑽を積まれますよう、期待致します。

評－我部　幸枝（会員）

奨励賞

中国明清代の詩人、王嘉
謨の五言古詩二首、百文字
を行草体で表現した作。出
だしの二行を単体行草の大
字で施し、後半の三行を細
字の行草連綿で締め括った
作である。受付番号１番で、
くじ運もあってか、奨励賞
を射止めた。

　作者は小学１年生から書
の道を歩み、奈良教育大学
で学長賞、読売書法展の理
事審査員を務めている。書
歴が物語るかのように内蔵
された力量からは正々堂々
とした正攻法で自我の真髄
を遺憾なく発揮している。
清爽感に浸りながらも芸術
文化の道で必須として問わ
れる気韻生動が漲る作。天
晴である。今後の精進を大
いに期待してやまない。

評－茅原　善元（会員）

西句橋
金城　久弥
（230×53）

奨励賞

明清代の、厲鶚が詠んだ
古詩「宿皋亭山下田家」、
他三種240文字の多字数を
五行構成でまとめあげた作
品だ。

　前半二行の大文字群は大
胆な筆勢の変化や文字の連
なり、疎密感など絶妙であ
る。行間の響き合いから織
り成す、黒と白の対比、バ
ランスも素晴らしい。後半
三行の小文字群も巧みな構
成である。それを自然体に、
一気呵成にさらりと流し、
まとめあげたところは流石
である。長年に渡り、培っ
てきた作者の技量の高さセ
ンスが輝いている。一貫し
て生命（いのち）の息吹を感
じる強い作品に仕上がった。

　書は線が命、といわれて
いる。墨色墨量等に少し思
いをよせ、羊毛ならではの
深味を醸し出せるようこれ
からの益々の研鑽を期待し
ます。終わりのない玄遠な
書の世界、共に精進を！

　初の奨励賞受賞、誠にお
めでとうございます。

評－名嘉　喜美（会員）

厲鶚詩
謝名堂　奈緒子
（227×53）

一般応募作品

奨励賞

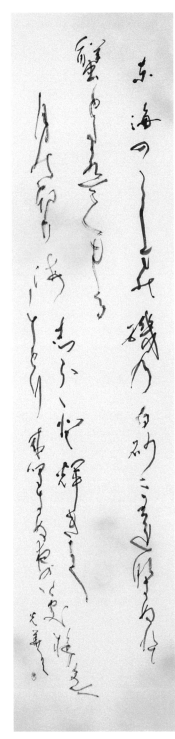

石川啄木の歌集『一握の砂』の巻頭歌をモチーフに縦に纏め上げた力作。

書き出し「東海の」の放ち書きを受けて「こじ万能」の連綿がしっかり支え、「磯乃白砂」でゆったりと膨らみをもたせ立体感が生まれた。続けて7文字の連綿を剛健に余白部分に響かせている。

二行目の頭「蟹と多盤牟る」は軸となる部分、その下を大きな余白としたことで名歌の姿がくっきりと浮かび上がった。三行目の「志らじら登輝き弓」は二首目の見せ場として堂々と役目を担っている。特筆すべきは最後の行、緩急を織り込んだ迷いのない運筆は習熟の年月の賜物と思われ見事だ。

「東海の小島」は日本を指し、自分の小ささと対比させたと言われる（諸説あり）。不遇の天才の歌として重くなりがちだが、陽のあたる砂浜を思わせる紙の色に作者の個性が重なったのだろうか、明朗で品格のある書として温かい余韻が残った。

評－山城　美智子（会員）

海
福原　美枝
（224×53）

奨励賞

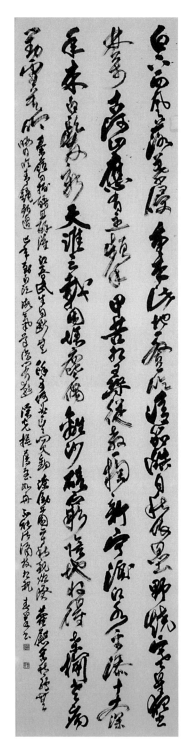

昨年に続き2度目の受賞、おめでとうございます。大田さんの作品は落ちつきのある知性を感じさせる作品です。

書作の基本をきちんと踏まえ、紙面構成を熟慮の上で書作されたと思います。丁寧な運筆と墨量豊かな美しい行間、大字と小字部分のバランス、潤と渇等、破綻がありません。

昨年は中央展や県芸術文化祭における受賞と、躍進の年でした。さらにこの波に乗り、健康に留意され益々の御健筆を祈念致します。

評－与那嶺　典子（会員）

白下 他二首
大田　安子
（228×53）

72

浦添市長賞

鄭谷詩
知念　一正
（253×61）

うるま市長賞

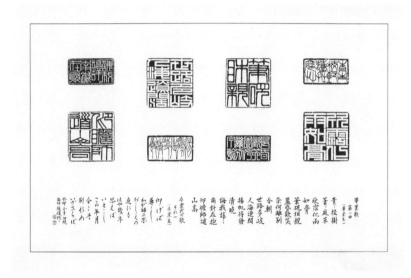

（40×60）

畢業歌　呉屋　純媛

e-no 新人賞

十四夜待月
知念　彩香
（230×53）

写真部門

総評ー中山　良哲（会員）

　今回の一般応募は126名（20代の「U30」と10代の「U20」は5名）で、前年より12名（10-20代は2名）増えました。1人2点まで応募できることから、出品点数は214点（10-20代は9点）で、前年より12点（10-20代は5点）増えています。準会員は13名中7名が8点応募しましたが、準会員賞は選出されませんでした。

　沖展賞に山城和代さん、奨励賞に玉城健次郎さんと屋嘉部景文さんが選ばれました。おめでとうございます。

　特別賞の浦添市長賞は名嘉久美子さんの「フーヌイユ」が選出されました。国頭村宜名真漁港の風景を組写真で表現しています。漁期は毎年5月〜6月頃です。撮影するために自宅の豊見城市を毎朝3時に出発し、7時ごろ漁港に到着する営みを3年間継続してきた努力の結晶が作品に現れています。

　うるま市長賞は幸喜あかりさんの「復帰50年ー支配と抵抗ー」です。米軍基地反対運動に力を注いできた故有銘政夫氏を尊敬し、その活動に寄り添ってレンズを向けてきました。基地に抗う県民運動の写真は記録性とメッセージ性を発揮しています。

　名嘉さんは4回連続、幸喜さんは6回連続で入選以上を果たしている沖展の出品者のベテランです。次回の意欲作に期待します。

　e-no新人賞を受賞したのは平良有理佳さんの作品「ふみちゃん」です。被写体は両親とお姉さん、弟に囲まれた5人家族の明るい活発な3歳の女の子。お母さんに抱きついて甘えたり、寝転んで駄々をこねたり、家の内外を走り廻ったりと、とても元気でおちゃめな女の子です。4枚組の写真から「ふみちゃん」の笑い声や足音までが聞こえてくるような快活な雰囲気がよく伝わってきます。家族の空気感さえ感じられる心温まる組写真に仕上げました。

　作者は高校3年生。沖縄工業高校で3年連続写真甲子園に出場し、優勝と準優勝、個人賞のキヤノンスピリット賞も受賞した前途有望な新人写真家です。明日への希望を背負ったチャレンジャーとして大きく踏み出していく方だと期待しています。

会員作品

重要無形文化財「組踊保持者」眞境名正憲氏	東　　邦　定
世果報たぼれ	大　城　信　吉
生き抜く	翁　長　達　夫
エサとり漁	翁　長　盛　武
すがしめ	島　元　　智
ボクネンが行く	末　吉　はじめ
安田のシヌグ	渡久地　政　修
役目を終えて	中　山　良　哲
爬竜船の館	真栄田　義　和
-沖縄本土復帰50年- 時を刻む門	吉　直　新一郎

準会員作品

合掌礼拝	池　原　德　明
うたた寝	池　原　德　明
初起し（ハチウクシー）	國　吉　健　郎
大地	仲宗根　　直
アメリカから来たウチナーンチュ	仲　間　智　常
城壁(世界遺産中城城跡)	平　井　順　光
洞窟	前　田　貞　夫
迸る滝（ほとばし）	宮　城　和　成

沖展賞

自慢の牙	山　城　和　代

奨励賞

慈愛の懐に抱かれて（いだ）	玉　城　健次郎
花火見学の物語	屋嘉部　景　文

浦添市長賞

フーヌイユ	名　嘉　久美子

うるま市長賞

復帰50年-支配と抵抗-	幸　喜　あかり

e-no新人賞

ふみちゃん	平　良　有理佳

ただよう	赤 嶺 喜 孝		この指止まれ	米 須 末 子
桜雨（さくらあめ）	安 里 寿 美		スマイルベアー	新 里 ゆきえ
立ち留まるかさ	安 里 涼 子		アッ・ヤバッ!	菅 原 壯
アンバランス	安次嶺 まり子		チャップリンと踊り隊	砂 川 悦 子
大漁	新 城 直 美		お面の舞	砂 川 悦 子
木漏れ日	新 田 みゆき		達人の芯	砂 川 盛 榮
夕焼け小やけ	石 垣 末 子		駐輪場	平 良 信 雄
復元をめざして!	伊 藤 俊 雄		火の芸術	平 良 正 次
ゆっくり行こうよ!	伊 藤 俊 雄		休憩中	たまき わ こ
古民家の雨戸	稲 福 晃		ハーモニー	玉 城 光 子
瞬き 羽ばたき 煌めき	上 原 青 空		アコークロー	多和田 真 彦
家移りの日・40年の感謝の祈り	上 原 稔		ライダー	知 念 和 範
大人なって給り	蛯 子 渉		伝統の演舞	知 念 和 範
みんなの闘牛	おおきゆうこう		遙かなり我が心の故郷	長 堂 哲
ふ・た・り	大 城 慶 子		収穫の喜び	仲 道 幸 子
夏をまてない河童たち	大 城 敏 雄		あぶない!ちょっとまて	仲 本 昌 雄
新米ママの優しい愛の手	大 田 千枝子		闘魂	仲 本 昌 雄
無言の語らい	大 田 千枝子		今も現役	花 城 雅 孝
落陽を浴びて	親富祖 勝 枝		赤いすべり台	比 嘉 佐智子
「慰霊の日」	亀 島 重 男		慰霊の旅	平 田 小枝子
「マータンコー」	亀 島 重 男		アコークローの誘惑	平 安 政 子
獅子奮迅（ししふんじん）	亀 谷 長 進		日課	麓 隼 人
陽光	川 満 昭 男		勢子	正 木 スエ子
街中の勝負	川 満 昭 男		農繁期	正 木 スエ子
公設市場AM11:30	神 田 守		海の恵み	正 木 虎 夫
地上の銀河	喜 名 朝 駿		里の軒下 寸景	又 吉 英 男
古城に集う	喜 名 朝 駿		スタンバイ	又 吉 英 男
好奇心	儀 間 生 子		身支度	又 吉 亮 太
ハンター	具 志 明		巨大透明魚	町 田 宗 昭
おばぁ達のウィズコロナ	具 志 明		捕食と育み	松 田 昌 一
北の明星	具志堅 興 清		痕跡	宮 城 米 子
匠の技	具志堅 興 清		暮らし	宮 良 正 子
鮪ラプソディー	國 吉 倖 明		今!青春	諸見里 安 吉
'22石垣島の夏 最後の輝き	黒 部 ゆ み		パレード	諸見里 安 吉
イチョウ並木	護得久 朝 一		競り人	屋嘉部 景 文
メルヘン	護得久 朝 一		絆の結晶	山 城 啓
「曲技」	米 須 末 子		戦い終えて	与 儀 文 夫

エサとり漁　（94×130）　**翁長　盛武**(会員)

世果報たぼれ　（105×70）
大城　信吉(会員)

重要無形文化財「組踊保持者」
眞境名正憲氏　（80×70）
東　邦定(会員)

生き抜く　（61×72）**翁長　達夫**(会員)

会員作品

すがしめ　（80.5×110.5）島元　智（会員）

役目を終えて　（105×82）中山　良哲（会員）

安田のシヌグ　（154×86）
渡久地　政修（会員）

爬竜船の館 （61.5×72.5） **真栄田　義和**（会員）

ボクネンが行く （56×76） **末吉　はじめ**（会員）

-沖縄本土復帰50年- 時を刻む門 （110×80）
吉直　新一郎（会員）

準会員作品

合掌礼拝　（115×84）**池原　德明**（準会員）

逆（ほとばし）る滝　（60×75）**宮城　和成**（準会員）

洞窟　（51×73）**前田　貞夫**（準会員）

大地　（111×61）
仲宗根　直（準会員）

80

初起し　（85×115）　國吉　健郎（準会員）

城壁（世界遺産中城城跡）　（70×92）　平井　順光（準会員）

アメリカから来たウチナーンチュ　（67×97）
仲間　智常（準会員）

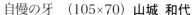

沖展賞

自慢の牙　（105×70）　山城　和代

　　バックのボケ具合も素晴らしい逆光の中、大胆なあくびを披露する猫。鋭く尖った牙を見ると、まるでトラやチーターのようにも見える。凛とした髭や、荒々しいが美しい毛並みを写しており、家庭猫も元は野生の生物だったことを思い起こす。
　　舌の赤色と首輪の青色がカラーポイントして画面を引き締めている。構図も猫のポートレート写真として上手く成立し、成功している。生物写真は被写体が動くだけにピントやブレなど気を付ける部分が多い中、受賞作は見事にクリアしている。
　　作者が朝早く撮影に出かけ、家に戻り庭の花を撮ろうとしている時、愛猫がすーっと偶然ファインダーの中に入ってきたそうだ。そして大きなアクビをする瞬間を撮影したとのこと。きっと猫も自分を撮ってほしい、と飼い主の前に現れたのかなと想像する。見る側も楽しい気持ちになる写真である。次年も素晴らしい作品を期待している。

評－東　邦定（会員）

慈愛の懐に抱かれて　（68×103）
玉城　健次郎

　光と陰。写真活動で重要な要素であるのは言うまでもありません。

　文豪ゲーテの「色彩論」の中で光の性質を、能動的作用と受動的作用によるものと記述されています。

　光の当たる反対側が陰という平板な説明ではなく、両者が互いに作用しながら働きを醸していると。その作用し合っている状態を認識し確認することは作品のクオリティを高めるに重要ではないでしょうか。

　作品は慈愛の懐を描く意図でシャッターが切られているように見えます。母親の背のバックの光と陰そして前方のスペースの陰影、母親の眼の輝き、懐と子供の部分の陰影等。それらは皆、母親の慈愛の心を描写するにこの上ない役割を果たしていることが解る逸作です。

　受賞、おめでとうございます。

評－島元　智（会員）

花火見学の物語　（81×106）屋嘉部　景文

　花火を撮った写真はよく見るが、それに背を向けて、ガラス戸への映り込みで花火を表現する写真は、あまり見ない。

　着眼点がよく、斬新である。映り込みも光の変化であり、光を上手く使っている。

　ベランダには、楽しそうな子供二人連れの親子、男二人組、にぎやかな団体、または寂しそうで、訳ありそうな一人ぼっちもいる。それぞれの人々の物語が感じられる。

　ガラス戸全てに花火が写っているので迫力があり、インパクトが強い。素晴らしい作品である。

　大きな賞を受賞した喜びを、やる気のエネルギーに変えて、次は沖展賞を目指してほしい。

　おめでとうございます。

評－翁長　盛武（会員）

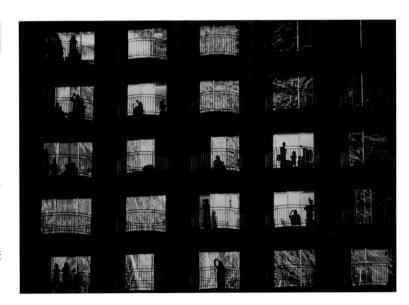

フーヌイユ　（75×110）
名嘉　久美子

復帰50年 -支配と抵抗-　（112.5×71.5）
幸喜　あかり

ふみちゃん　(68×115)
平良　有理佳

陶芸部門

総評ー新垣　修（会員）

　陶芸部門は近年、入選率が高くなる傾向だが、今年は突出した作品が少なく残念だった。

　一点物の壺や皿類は作品のサイズが小さく、受賞候補に至らないものがあった。もちろん大きければ良いわけではなく、その形によって「サイズ」「デザイン」「釉薬の技術」など複数の要素をいかに作品に込めるかなので、私自身この点は常日頃悩みながら制作に取り組んでいる。

　一方の日用雑器については、日頃手慣れた作品にも丁寧さを加え、近年の生活様式にあったデザインを取り入れてはどうだろうか。シーサーや龍などは大小様々な作品があったが、技術力を主張したいがためか近年、全体的に装飾が煩（うるさ）くなる傾向がある。ただ今回に関しては逆にこじんまりとし訴求力が弱い作品もあった。

　正賞は票が割れて僅差で沖展賞、奨励賞が決まり審査員の個性が反映されたように思う。準会員作品は賞の対象者が出なかった。次回は多くの審査員を納得させる作品を出品してほしい。

　浦添市長賞は新垣安隆氏の「マンガン壺」。マンガン釉は通常黒に発色するが、この作品は金色を出し長年の研鑽が見て取れた。またロクロ引きによる成形の端正さや美しさがマンガン釉と調和した、ベテランならではの作品だった。

　うるま市長賞は照屋敏雄氏の「変形花器」。通常、変形の作品は切れや歪みが生じるが、サイズの大きさにも関わらずその課題をクリアし、釉との調和も良く、力みなく腰を据えたベテランならではの作品だった。

　e-no新人賞は藤吉海月氏の「黒金彩雨龍」。龍の動きに迫力があり細部まできめ細かく作られ、小さいサイズながらも、一見大きく感じられた。これこそ技術力を主張させながらもバランスの備わった作品と言え、感心した。

　今回はベテランの熟練した技、中堅の堅実さ、若手の初々しい勢いなど楽しく見ることが出来た。陶芸は自分なりの表現をどう導き出すか己との闘いだが、時には楽しく思いを馳せて炎に向かい合ってほしい。

会員作品

掻落(花文壺)	新垣 修
Cube組皿	新垣 寛
花三島尺二皿	親川 唐白
ヤシガニが遊ぶ宝壷	佐渡山 正光
呉須張対獅子	島袋 常栄
多彩皿	島袋 常秀
白掛け厨子	玉城 望
白土点打藍差し大皿	松田 共司
二足立型玉持ち親子シーサー	湧田 弘

準会員作品

厨子甕	仲村 まさひろ
嘉瓶	仲村 まさひろ
花三島壷	宮國 健二
シーサー	山内 米一
オーグスヤー色差皿	山城 尚子

沖展賞

厨子	上江洲 史朗

奨励賞

金龍	新垣 優人
県産紅白土八寸組皿	当真 英之

浦添市長賞

マンガン壺	新垣 安隆

うるま市長賞

変形花器	照屋 敏雄

e-no新人賞

黒金彩雨龍	藤吉 海月

一般入選作品

対・怒りチブルシーサー-消える「平和」/迫る「兵・WAR」-	赤嶺 和三
刷毛打青釉抱瓶	新垣 智
象嵌角皿	新垣 智
結	伊良波 幸繁
ガローシ釉御抹茶碗(くがに・黄金)	宇江城 昌順
ガローシ釉御抹茶碗(くるー・黒)	宇江城 昌順
線彫り花文嘉瓶	江口 聡
甲蟲鎧器	桑江 良寿
New Excursion	桑江 良寿
花器	幸地 良丈
錦	佐渡山 博子
天昇双青龍	佐野 壽雄
白化粧魚紋組皿	下地 葉子
幾何学模様線彫組皿	下地 葉子
花三島尺三皿	谷 智子
覇王の鉢とキジムナー	田場 典道
白黒	千葉 康悦
2nd	千葉 康悦
厨子甕	照屋 柚衣子
わら灰掛け黄瀬戸壷	當銘 保
みーとぅんだシーサー(対)	仲村 皆々子
シーサー	仲村渠 哲夫
灰かぶり面獅子	ナギーブ 和代
ゆず天目茶碗・茶入	花城 かおり
潮汐	比嘉 正徳
灯りつきシーサー	比嘉 孝雄
三島粉引釉壺	比嘉 裕之
幾何学紋様皿揃え	前原 常男
多面体花三島花器	前原 常男
嘉瓶	松尾 暢生
かなさん	松田 優人
シーサーセット	宮城 郁夫
呉須巻唐草紋6寸マカイ5枚組	宮城 真弓
ちむぐくる～長寿の願い～	宮里 愛
創生	山内 徳光
やんばるの森のなかまたち 太陽	山川 卓也
水指「ハニカム」	山田 サトシ
盌「パナリ」	山田 サトシ
緑青花瓶	ロス 梨沙

掻落（花文壺）　（H46×W38×D38）
　　　　　　新垣　修（会員）

ヤシガニが遊ぶ宝壺　（H70×W45×D45）
　　　　　　佐渡山　正光（会員）

二足立型玉持ち親子シーサー　左（H22×W12×D12）
　　　　　　　　　　　　　　右（H22×W12×D13）
　　　　　　　　　　　　湧田　弘（会員）

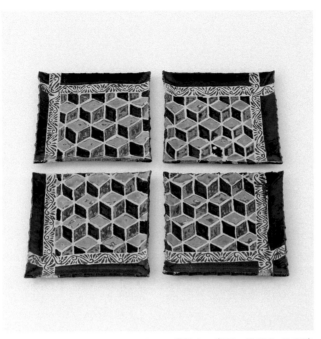

Cube組皿　（H3×W28×D28）
新垣　寛（会員）

多彩皿　（H11.2×W51.5×D51.5）
島袋　常秀（会員）

花三島尺二皿　（H6.8×W36×D36）
親川　唐白（会員）

白土点打藍差し大皿　（H11×W62×D62）
松田　共司（会員）

白掛け厨子　（H51×W52×D28）
玉城　望（会員）

呉須張対獅子　（H45×W43×D29）
島袋　常栄（会員）

厨子甕　（H74×W70×D52）
仲村　まさひろ（準会員）

シーサー　（H25×W45×D30）
山内　米一（準会員）

花三島壺　（H45×W27×D27）
宮國　健二（準会員）

オーグスヤー色差皿　（H12×W58×D58）
山城　尚子（準会員）

沖展賞

厨子　（H56×W40×40）　上江洲　史朗

　　上江洲史朗さん、沖展賞受賞おめでとうございます。受賞作「厨子」は白化粧の美しさと丁寧な作りが印象に残る作品です。八角形の御殿型厨子甕は、屋根が三重構造で台座を擁していて、蓋・胴・台座と3つに分かれます。蓋は手びねりで成形され、屋根中央には宝珠が取りつけられています。胴は木型で成形し、上部に屋根、中央にはミガチ（銘書）と僧形の人物像が7体配されています。台座の装飾は蓮華を手びねりで施しています。

　　モミガラを混ぜた赤土で成形し、白化粧掛けとシルグスイ（透明釉）のみで仕上げられていますが、そのシルグスイは薄めに掛けられており、化粧土に登り窯による火色がつき、暖かみを携えた仕上がりとなっています。台座の花弁などはキレが出やすいのですがキズもなく、成形、乾燥、焼成と慎重に進められた様子が伝わります。

　　このような美しく、やさしい厨子に魂を納めたら、安らかな気持ちになると思います。次回の作品も期待しています。沖展賞受賞おめでとうございます。

評―玉城　望（会員）

奨励賞

県産紅白土八寸組皿 （H5×W24×D24）
当真　英之

　奨励賞おめでとうございます。
　受賞作品「県産紅白土八寸組皿」と名付けたところが面白い。本来なら、「イッチン八寸組皿」と呼ぶところだ。もちろん、表現の自由は沖展の大事とする所である。
　沖縄の土にこだわり、形や加飾に加え、当真さんの想いが込もっている。イッチン唐草文の加飾に使用した白土は恩納村安富祖の土で、沖縄陶器における伝統的な技で温かい乳白色を呈している。組皿一つ一つの形に安定感があり、全体にバランスが取れている。
　焼成に関して、イッチンのことを考えれば、もっと焼き込んでも良いし、窯焚きのイメージを連想させる透明釉「シルグスイ」の強弱の発色があっても良かろう。沖縄陶器の本道を歩もうとする時、課題は多くあるが、今後の活躍に大いに期待する。

評－松田　共司（会員）

奨励賞

金龍　（H90×W45×D50）
新垣　優人

　新垣優人さん、奨励賞受賞おめでとう。第71回沖展でうるま市長賞を受賞して以来、2度目の受賞です。日頃の努力が実りました。
　今回の受賞作「金龍」は、全体が黒い作風になっていますが、龍の目や牙、そして爪が白くなっていて、それが龍全体を強く見せています。龍の胴体が長くて作業も大変だったでしょうが、少しの傷もなく丁寧な仕上がりになっています。
　胴体の鱗や背びれ、足の爪などの表現が丁寧で良く評価されました。マンガン釉の濃淡をうまく使い分けていることで、立体感を生みだしています。
　これからもこのような仕事を頑張ってください。期待しております。

評－島袋　常秀（会員）

浦添市長賞

マンガン壺　（H33×W37×D37）
新垣　安隆

うるま市長賞

変形花器　（H48×W46×D39）
照屋　敏雄

e-no新人賞

黒金彩雨龍　（H13×W33×D15）**藤吉　海月**

漆芸部門

総評ー前田　貴子（会員）

　今回の応募は一般7人9点、準会員2人2点でした。

　一般応募の作品は全体的に造形・加飾・表現の物足りなさと髤漆（きゅうしつ）技術の未熟さを感じました。漆芸は、数十の異なる工程を重ねて作り上げていきます。その隠れてしまう工程の一つ一つが仕上がりに大きな影響を及ぼすので、最後の加飾を生かすためにも丁寧に進めていくことを心掛けてほしいと思います。制作を続けていくことで、少しずつ技術が向上し、手早くこなせるようになっていきます。その点、準会員の2点は造形・技法表現に申し分なく準会員らしい素晴らしい作品でした。

　浦添市長賞の加堂勝久さんの「変わり塗り極彩色小鉢　混沌・調和」は、自ら挽いた山桃に卵白で仕掛けを施し、何層も色を塗り重ね研ぎだす変わり塗り技法で仕上げています。研ぎだし具合を調整することで左鉢に混沌を、右鉢に調和を表現し、感性が作品に生かされていると思います。

　うるま市長賞の新城清枝さんの「家紋」は、デイゴを髤漆（あわび）し家紋を鮑貝で施した螺鈿技法の作品です。デイゴの軽さと厚みを生かし重厚感のある作品に仕上がっています。鮑貝の繋ぎ目もうまく合わせています。漆芸品の初制作だったということで、どの工程も難しく困難だったようですが、丁寧な作業を長期間続けていくことでまとまった仕上がりになっています。

　今回も出品者が少なかったのは残念ですが、初出品者が5人もいました。漆芸を志す方々が増え、漆芸を学ぶ場も増えていることを感じます。これからも古典に学び、様々な漆芸技法を吸収し、自分自身なりの作品を作っていくことを期待しています。

　現在、漆芸分野では首里城の復元を含め次世代の担い手の育成が求められています。彼ら、彼女らはそれぞれの場で日々研鑽を積み重ねていますが、自己表現の作品も制作し、多くの県民が集まるこの沖展の場でその創造性を発揮することを願っています。新しい琉球漆芸を切り拓くその姿を楽しみに待っています。

会員作品

梯梧造曙塗盛器	糸　数　政　次
おくる	宇　野　里依子
変り塗茶托	大見謝　恒　雄
螺鈿合子	大見謝　恒　雄
堆錦総張り　筆入れ（竜）	後　間　義　雄
蒔絵棗「ひまわり」	照喜名　朝　夫
手筥「寿」	前　田　國　男
ゆくてい語ら	前　田　貴　子
角東道盆螺鈿蒔絵（リスとブドウ）	松　田　　　勲

準会員賞

ゆらめきに舞い降りる理の旋律	前　田　春　城

準会員作品

乾漆鉢「知」	前　田　　　栄

奨励賞

朱塗乾漆花器	西　原　郭　行

浦添市長賞

変わり塗り極彩色小鉢　混沌・調和	加　堂　勝　久

うるま市長賞

家紋	新　城　清　枝

一般入選作品

黒漆葡萄螺鈿印籠	赤　嶺　　　敏
黒漆蝙蝠福木モモタマナ堆錦料紙箱	赤　嶺　　　敏
いずれの日にか國に歸らむ	新　城　清　枝
「漆×coffee＝figru」	高　里　　　繁
漆塗り螺鈿ペンダント拭き漆トルソーとともに	照　屋　咲　子
菓子入盆	宮　良　正　根

おくる （H10×W15×D10）宇野　里依子（会員）

堆錦総張り 筆入れ（竜）　（H8×W10.5×D26.5）
後間　義雄（会員）

変り塗茶托　（H2.5×W13.5×D13.5）
大見謝　恒雄（会員）

角東道盆螺鈿蒔絵（リスとブドウ）　（H16×W30×D30）
松田　勲（会員）

乾漆鉢「知」　（H10×W32×D28）前田　栄（準会員）

準会員賞

ゆらめきに舞い降りる理の旋律 （H15.5×W33×D33） **前田　春城**（準会員）

　昨年の沖展賞に続いて、今回の準会員賞受賞おめでとうございます。

　技法は、指物、木芯乾漆、螺鈿、蒔絵、箔絵、堆錦で、木地を自ら制作し塗りを施し後、加飾したもので、甲面^{こうめん}が綺麗に仕上がっていて、なかなかの労作だと感じました。

　やんばるの山を訪れて、作者が得た経験をデザインに落とし込み、感情を表現しました。作品名「ゆらめきに舞い降りる理の旋律」もそこから生まれたとのことです。

　なお一層、塗りや加飾技術、図案力の研鑽を続け、創作に励むことを期待します。

評－照喜名　朝夫（会員）

奨励賞

朱塗乾漆花器　（H30×W27×D27）西原　郭行

　2019年の奨励賞、2020年の浦添市長賞に続き、3回目の受賞おめでとうございます。作品は型に、和紙を10枚ずつ漆で貼り、麻布を5回漆で塗り固めた後、型を取り外し、麻布と漆部分を残す「乾漆」という技法です。型は粘土で形成されています。

　「今回は赤の色をしっかり表現したかった」とのことで、今まで施されていた沈金などの加飾はあえてされなかったようです。しかし、ご自分でも言われていたように、もう少し朱色の魅力である、「赤」の色の美しさを出すべきだったと思われます。

　また、口の部分の仕上げの処理や、底の部分の黒色と赤色の境界線の仕事など、細かいところをもっとシビアに仕上げるべきでした。目立たないようで、一番見られる部分です。

　大きさがあり、存在感と、もっと良いものを作りたいという意気込みを感じられる作品です。次回作を期待しております。

評－宇野　里依子（会員）

浦添市長賞

変わり塗り極彩色小鉢 混沌・調和 （H3.5×W15×D15）加堂　勝久

うるま市長賞

家紋 （H32×W40×D2.7）新城　清枝

染色部門

総評ー外間　修（会員）

　今回の染色部門の審査は新型コロナウイルス第8波、インフルエンザ注意報も3年ぶりに発表された中で執り行いました。世の中は流行病のために、経済も以前のようには回復せず、ロシアによるウクライナとの戦争もまだ終結をみないままという不安な情勢での、ものづくりは精神的にも生活していく上でも大変な影響があったと思います。

　それでも今回の一般応募作品10点のうち、着物が5点、帯地2点、パネル3点と着物の作品が多く、最近の傾向では帯地が半数を占めていたことを鑑みると、出品者の制作意欲が感じられ、審査にも熱が入りました。また、作業工程が丁寧に行われており、落選は1つも出ませんでした。その中から奨励賞1点、浦添市長賞、うるま市長賞各1点が選ばれました。

　奨励賞を受賞した紅型振袖「あやはべる」を制作した識名あゆみさん、おめでとうございます。紙面の都合上、正賞受賞作品についての講評は他の会員が担当しますのでご了承ください。前々回の第72回展から特別賞の作品についての講評を総評で盛り込むこととなりましたので下記、講評いたします。

　浦添市長賞、紅型着物「熱泳ー No Border ー」を受賞した永吉剛大さん、おめでとうございます。濃紺と白地の斜めに流れる模様に古典的な青海波が海をイメージさせる着物です。紺地と白地の中に海を漂うイソギンチャクの仲間やサンゴとウミユリ、紺地に入る白のアラレ（点々）が水泡を連想させるデザインになりました。模様の柄合わせも良く出来ていて作者の努力がうかがえました。

　うるま市長賞、紅型訪問着「PARAISO」を受賞した坂本希和子さん、おめでとうございます。舞立つオオゴマダラとストレリチア、極彩色の大きなハスを大模様でまとめた図案でタイトルの楽園を十分にイメージさせる作品になりました。花の配色を裾に向けて濃くしたり黄色の地染めで絵羽を表現しています。また、黄色の地色を裾からどの程度の高さまで配するかで、着る方の年齢層が決まっていきますので、図案を作る際、念頭に置いてください。

　最後にパネルで出品する際、注意してほしい点があります。紙や布といった素材に染めてパネル張りした後は、手作りでも良いのでフレームや水張りテープ等で縁を保護するようにしてください。フックも展示が出来るように、あらかじめ準備してください。作品保護のために展示方法も事前に事務局に問い合わせておければ問題が生じないと思います。

会員作品

琉球両面筒描着物「祝」	城間　栄市
紅型着物「浜詩」	仲松　格
藍濃淡帯「秋の野原」	外間　修
紅型着物「なでしことコスモス」	外間　裕子
紅型筒引両面染間仕切「鶴亀松竹梅」	宮城　守男
琉球紅型衣装「一夜込め」	迎里　勝

準会員作品

藍染帯「このはづくし」	亘保　聡
紅型両面染着物「蕉葉福良雀」	知念　冬馬
紅型舞台衣装「沢藤小夜曲」	渡名喜　はるみ

奨励賞

紅型振袖「あやはべる」	識名　あゆみ

浦添市長賞

紅型着物「熱泳-No Border-」	永吉　剛大

うるま市長賞

紅型訪問着「PARAISO」	坂本　希和子

一般入選作品

紅型全通帯「日陰ヘゴ陽ニ満チル」	大城　章子
紅型着物「しっとり雨の日」	具志　七美
型染パネル「うえをむいて歩こう」	崎村　歩未
型染パネル「うえをむいて歩こう -雨あがり-」	崎村　歩未
紅型着物「虹色に燿き、咲き誇るキバナノヒメユリの花」	瑞慶山　和子
型染パネル「つづく思い」	仲宗根　萌
紅型帯「餌木に珊瑚花」	藤﨑　新

紅型筒引両面染間仕切「鶴亀松竹梅」　（130×60）
宮城　守男(会員)

紅型着物「なでしことコスモス」　（175×145）
外間　裕子(会員)

藍型帯「このはづくし」（500×30）
宜保　聡(準会員)

紅型舞台衣装「沢藤小夜曲」（170×142）
渡名喜　はるみ(準会員)

紅型両面染着物「蕉葉福良雀」（175×133）
知念　冬馬(準会員)

奨励賞

紅型振袖「あやはべる」（190×137）
識名　あゆみ

　受賞、おめでとうございます。
　審査中、ひときわ存在感を放った華やかな振袖です。一部、隈取が多い、蝶の青に隈取がなく地色に消え気味である、など指摘はありましたが、柄合わせも問題なく細部まで丁寧な仕事に、確かな技量が伺えました。
　柄構成は一つのパターンの反復で、振袖としては小柄ですが、交互に差し分けられた配色により単調を脱し大きな流れが生まれています。
　作品名「あやはべる」は沖縄の古語で「美しい蝶」のこと。「おもろさうし（首里王府が編纂した沖縄最古の歌謡集）」を知る人は、航海を守護するヲナリ神（姉妹神）の化身としての蝶を思い浮かべるでしょう。最初、蝶形花であるスイートピーに蝶を合わせたことを、面白く感じましたが、スイートピーの花言葉が「門出」「飛翔」であり、航海を守るヲナリ神とシンクロすると気付いた時の心地よい驚きは、作者の意図した通りでしょうか。
　新たな門出を祝福する想いに満ちた振袖が、飛翔する姿も見てみたいと思いました。

評－宮城　守男（会員）

浦添市長賞

紅型着物「熱泳 -No Border-」 （180×136）
永吉　剛大

うるま市長賞

紅型訪問着「PARAISO」 （175×140）
坂本　希和子

織物部門

総評ー多和田　淑子（会員）

　今年の織物部門は一般応募17点、準会員応募3点でした。

　一般応募は入選15点で、選外となった2点は基本的な条件が満たされてなく、新たにスタート時点に立ち戻る必要があると思います。

　応募作品は着物2点、着尺4点、帯地8点、服地1点、ストール2点でした。全体的な内容は低調の感を否めません。その中でキラリと輝きを放つ作品が受賞作品となりました。作者の創意工夫が実を結んだものと思います。

　作品は異なる技法の組み合わせで制作されたものが多く、表現の幅が広がっていることが感じられました。織物には用途があり、それらの条件を満たした上でデザインを起こさなければなりません。柄の配置など基本的な数値をおさえた上で制作にあたってほしいと思います。

　沖展賞を受賞した帯地「十字文帯」は色彩の調和が美しく、絣の配色にも工夫がありリズムを感じさせ、単純にも思える図柄ですが仕事としては高難度です。

　奨励賞の久米島紬着尺「クジリゴーシ十字絣」はこっくりと染められた地色の確かさに絣が映え、丁寧な仕事が評価されました。

　浦添市長賞の経絣花織帯地「水紋」は段絣に経浮き花織で模様を織り込み、破調がなく、赤で統一されていて個性的な作品です。

　うるま市長賞の絣着物「大地に張る根」は斜めに動く経絣と緯絣の組み合わせで複雑な動きが立体感を生みだし、計算しつくされた大きな菱形が印象的な作品です。

　準会員応募の作品3点は共に力作であり、制作意図が明らかで優劣つけ難く審査は難航しました。準会員賞の八重山上布着尺「薫風」は淡色に染められた地色が全体を優しく包み、一本の糸にも神経を注ぎ、柄を織り出し、全体の調和を生み出す力量は素晴らしいと思います。

　沖展を発表と研鑽の場と捉え、チャレンジしてほしいと思います。

会員作品

上布着尺「草蛍」	新垣幸子
八重山上布着尺「雫」	糸数江美子
琉球絣着尺五ツ四ツブサー	大城一夫
首里ヤシラミ花織着物	祝嶺恭子
上布着尺「星」	新里玲子
首里花倉織帯地「蘭によせて」	多和田淑子
久米島紬着帯「十字絣たてしま」	桃原積子
経絣花織帯地	長嶺亨子
絣織着尺「ライン」	真栄城興茂
黄色地花倉織着尺	和宇慶むつみ

準会員賞

八重山上布着尺「薫風」	崎原克友

準会員作品

帯地「ゴールデンシャワー」	島袋知佳子
芭蕉布九寸帯地「魚小」	鈴木隆太

沖展賞

帯地「十字文帯」	中村友美

奨励賞

久米島紬着尺「クジリゴーシ十字絣」	我那覇ケイ子

浦添市長賞

経絣花織帯地「水紋」	澤村佳世

うるま市長賞

絣着物「大地に張る根」	能勢玲子

一般入選作品

手挽き絹糸ストール「冬至」	伊藤佳奈
手挽き絹糸ストール「春の淡い」	伊藤佳奈
絣着尺「変わりバンジョー」	上原八重子
絣帯地	上原八重子
上布着物「やーんぶ」（ホタル）	浦崎美由希
知花花織帯地「ゴールデンシャワーツリー」	新門伊咲美
花織帯地「彩黒①」	玉寄憲子
花織帯地「彩黒②」	玉寄憲子
久米島紬着尺「百千鳥」	仲地洋子
久米島紬着尺「字絣ハナアワセトリ3玉」	山城智子
経絣・ロートン織帯地「緩歩」	與那嶺利菜

特別展示

芭蕉布絣着尺「二重トッキリ」	平良敏子
絹紺地緯絣平織単帯「ヌチグムー」	宮平初子

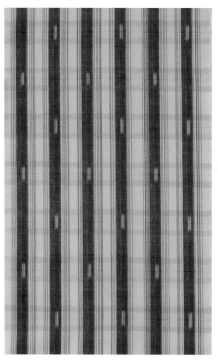

絣織着尺「ライン」（1350×38）
真栄城　興茂(会員)

首里ヤシラミ花織着物(部分)　（180×156）
祝嶺　恭子(会員)

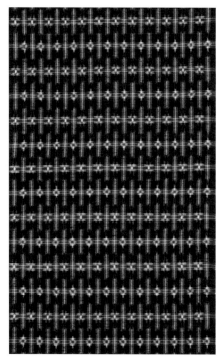

琉球絣着尺五ツ四ツブサー　（1250×38）
大城　一夫(会員)

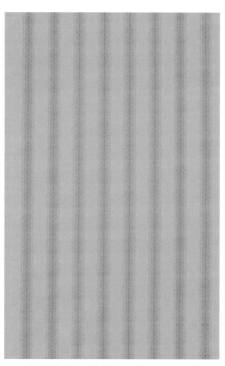

黄色地花倉織着尺　（1350×38）
和宇慶　むつみ(会員)

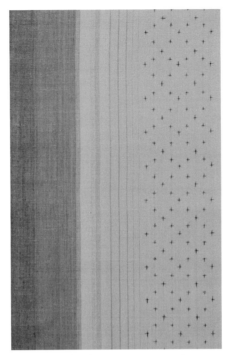

久米島絣着尺「十字絣たてしま」 （1300×38)
桃原　積子(会員)

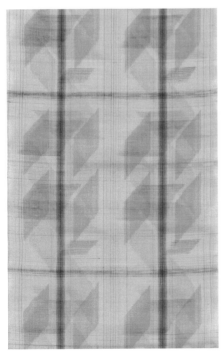

帯地「ゴールデンシャワー」 （550×36)
島袋　知佳子(準会員)

芭蕉布九寸帯地「魚小」 （500×35)
鈴木　隆太(準会員)

準会員賞

八重山上布着尺「薫風」（1300×38）
崎原　克友（準会員）

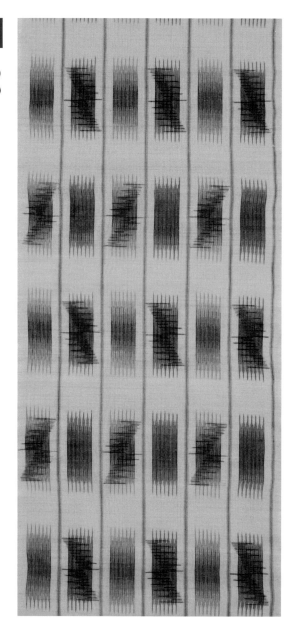

　布を広げたその瞬間、涼風が通る。
　淡い萌黄色地に緑黄、紺青と染め分けられた経絣（たてがすり）のグラデーションが美しく、上布の清々しさが際立つ。メリハリのあるシンプルなデザインだが、高さの異なる三種の経絣の配列によって、絣足（かすりあし）の魅力が増し、芽吹く春の木立を想わせる。長短の緯絣（よこがすり）織りは吹き渡る風の動きが伝わるようで、糸の奏でる「薫風」が、心地よい。
　出品のたびの入賞、そして今回の準会員賞と、若い染織家の絣織り表現に心ときめく。紅花、藍の染料栽培も自ら手掛けているとのこと。土と向き合い、機と向き合う布づくりへの真摯な姿勢が作品から伝わってくる。
　ボリュームのある絣織りを得意とされているようだが、作者の瑞々しい感性によるクジリゴーシ（くずれ格子）等の伝統絣の作品もみたいものだ。

評－新里　玲子（会員）

沖展賞

帯地「十字文帯」（500×36）
中村　友美

　沖展賞初受賞おめでとうございます。

　今回の作品名「十字文帯」は琉球絣でいう、十三ムチリー（群星）の柄をベースにした重厚な経、緯十字絣に工夫されたデザインに仕上がっていて、現代的な斬新さが感じられます。

　経絣を手間の掛かる括りを、何度も染色していく根気のいる作業です。これだけの分量の括り、染色を繰り返したにもかかわらず、色のにじみもなく仕上げるのは作者の織に対する情熱と高い技術力が感じられます。

　あらためて作品に目を向けると、特に印象的なのはグレーの十字文を白、黒の経緯絣で囲うという工夫をほどこしており、染色、織ともに至難の業であったと思われます。作者の努力のあとが作品に滲み出ています。今後も良い作品に期待します。

評－大城　一夫（会員）

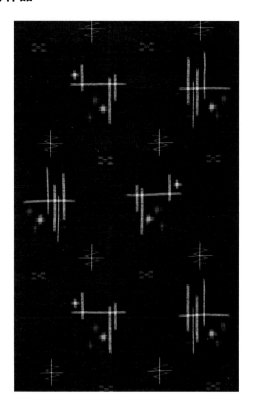

奨励賞

久米島紬着尺「クジリゴーシ十字絣」（1293×38）
我那覇 ケイ子

　初出品での奨励賞受賞おめでとうございます。久米島紬の地色が深く、美しく染色されています。この深さは絣を引き立ててくれるだけでなく、着用する人も同様に引き立ててくれると思っています。

　グール（サルトリイバラ）やクルボー（ナカハラクロキ）、ヤマモモ等で染色した星絣が深い地色の中にしっかりと染まり、輝いています。また、「インヌページュムンジ」(犬の足跡) や「十字にカキジャー」(竿などを吊るすＳ字状に掛けるもの) 等の白絣に地色がほんのり染み、やさしさを醸し出しています。この味わいは久米島紬特有のものだと思います。絣括りの指力の加減の良さが現れています。

　一完全の絣の配置が次には反転し、伝統的な技を生かし、空間が、ゆったりと表現され技術の深さを感じます。

　絣の構成として全体を見た時、3つの星絣と組み合わされている経緯の白絣が、多少長目に感じました。もう少し絣の構成を工夫すれば力量が十分に発揮されると思います。

　今後の作品を期待しています。

評－新垣　幸子（会員）

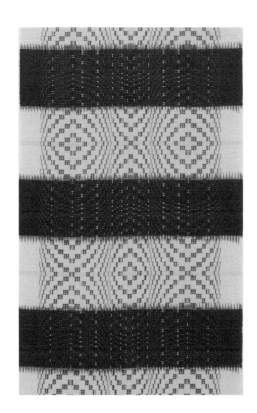

浦添市長賞

経緯絣花織帯地「水紋」（530×36）
澤村 佳世

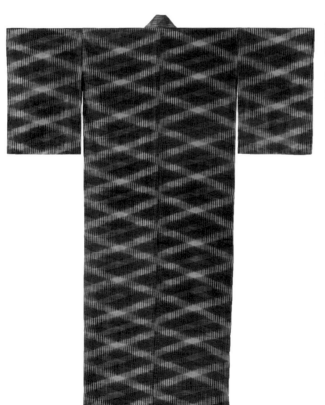

うるま市長賞

絣着物「大地に張る根」（177×140）
能勢 玲子

ガラス部門

総評一末吉　清一（会員）

　今年の一般応募点数14点の中から、奨励賞に大城龍之介さんの「二升飾り瓶（青藍）」、浦添市長賞に宮平由美子さんの「ウミバタ」、うるま市長賞に外間健太さんの「ゆかり」が受賞しました。また、準会員9名の中から、1人1点のみの出展で、友利龍さんの「八咫硝子」が準会員賞を初受賞されました。

　奨励賞の大城さんの飾り瓶は、初出品での受賞で、アイスクラックの技法にガラスパウダーを用いて、シックに、形状もシンプルに仕上げた作品で、研鑽を積めば、作品の幅が広がり、大作も期待できます。

　浦添市長賞の宮平さんも、初出品での受賞です。ステンド風のランプですが、シーガラス、ステンドの残り物を用いた作品で、しばらく眺めていると、カケラ1個ずつに、それぞれのストーリーがあるようで、見ていて癒される作品です。

　また、うるま市長賞の外間さんの受賞作の花器「ゆかり」は、気泡を用いた彼独特の世界が表現された大作です。3年連続での受賞が示す通り、技術と表現力が安定しています。さらに研鑽を積まれ、次回作に期待します。

　準会員賞の友利さんの「八咫硝子」の作品名にある「八咫ガラス」は日本神話に出るカラスで、導きの神とされ、一般の方には3本足の姿で、サッカー日本代表のエンブレムに使用されていることでも、馴染みがあります。受賞作の鳥はそれぞれのパーツを作り、鳥本体と各パーツを合体させる作業ですが、各パーツと本体の温度を合わせるのが難しく、仕上げた後の温度管理にも気を使います。勢いそのままに、次回作も期待します。

　74回展の応募総数が15点で、コロナ禍の3年で応募者が減少しています。来年の75回展には多くの出品を希望します。

会員作品

彩銀壺	大城尚也
フルーツ盛	大城尚也
生命の起源	末吉清一
島景色	平良恒雄

準会員賞

八咫硝子	友利龍

奨励賞

二升飾り瓶(青藍)	大城龍之介

浦添市長賞

ウミバタ	宮平由美子

うるま市長賞

ゆかり	外間健太

一般入選作品

Bark SectionⅡ（樹皮×3）セット	上地律子
ひまわり	兼島まち子
梅雨景色	兼島まち子
虹色の鱗	島津幸子
奄美のポインセチア	鈴木信秀
幾何学の灯	鈴木信秀
水と木の根	田中基之
夜明け	知念孝斉
愛しき珊瑚礁	當山みどり

彩銀壺 （H40×W35×D35）**大城　尚也**（会員）

生命の起源 （H73×W40×D40）
末吉　清一（会員）

島景色 （H34×W28×D28）
平良　恒雄（会員）

準会員賞

八咫硝子　（H36×W27×D25）**友利　龍**（準会員）

　友利龍さん、準会員賞、誠におめでとうございます。
　受賞作の「八咫硝子」は日本神話に登場する導きの神とされる八咫烏のカラスを硝子に置き換えた、ユニークな作品名となっています。
　今回の作品は、黒のパウダー状のガラスで着色されていると思われます。二枚の翼と三本の足を取り付けるには、至難の技法が必要です。繊細な注意のもとに作り上げられています。さらにカラスの足がわしづかみする球体との組み合わせが見事です。
　ガラスの視野を広め、可能性を楽しまれています。友利さんの八咫ガラス作品が良き道しるべとなり、アイディアを活かし、そのアイディアを増幅させた作品だと思っております。
　審査では今後の課題として、沖縄の伝統技術を紡ぐ製法の吹きガラスにも、さらに取り組んでほしいと求める声がありました。
　来年も精進して、奇抜さ洗練される作品に挑戦してください。連続受賞を期待しております。

評－大城　尚也（会員）

奨励賞

二升飾り瓶(青藍)　(H49.5×W15×D15)
大城　龍之介

　奨励賞おめでとう。今回の受賞作、「二升飾り瓶(青藍)」はアイスクラックによる色彩をうまく表現した作風である。

　対で出品することで、力強さが感じ取れる。器上部の形状を統一すれば、さらに完成度は高くなるであろう。

　初出品での受賞でもあり、今後の創作活動に大いに期待したい。

評－池宮城　義郎（会員）

浦添市長賞

ウミバタ　（H47×W26×D28）
宮平　由美子

うるま市長賞

ゆかり　（H49×W22×D22）
外間　健太

木工芸部門

総評ー西村　貞雄（審査員）

　木工芸部門が出来10年余がたった。第74回展の今年は一般と準会員合わせて、応募者14名、応募数17点だった。この部門は木工芸として素材の扱いや実用性が重視され、造形的美しさが評価される。

　審査の際には木工芸の趣旨に該当しないものはないか議論し、オブジェに類すると判断したものの中に、創造性が乏しいもの、既成品の一部と自然物とを接合したものがあり選外となった。これらの作品は、各部位の技術は優れているものの発想が木工芸の趣旨に合わなかった。

　屋部忠氏は、「蝶柄ロッキングチェア」「組子座卓」の2点を出品している。組子細工の特性が発揮されている座卓は風格のある作品であるが側面の鎖状の細工が全体の調和を崩している。沖展賞に輝いたのは「蝶柄ロッキングチェア」で、組子細工の中に蝶柄を入れた構成が素晴らしく、着色との調和が評価された。

　奨励賞に玉城正昌氏「孫の嫁入」、浦添市長賞に矢久保圭氏の曲げ木の輪を組み合わせた、リズム感と透かしが優美な「原理的七宝文様間仕切」、うるま市長賞に稲嶺優子氏のシナベニアの合板で成形した椅子と小物、冊子入れを組み合わせた「Flower stool」が選ばれた。

　今回は組子細工による繊細な作品が多く見受けられた。大山隆三氏「多面体」は繊細な造りで密度と独特の味わいのある作品である。中が空洞であり蓋物にすれば使用目的ができ、工芸品として良かったという感想が審査で出た。

　応募作品には、「用と美」と機能性を意識しながらも、装飾過多になった作品が多かった。優れた技術を持ちながら必要以上に飾りをつけている傾向があるが、単純化して取り組むことも重要で、木工芸としての用途を認識する必要がある。

　準会員の與那嶺勝正氏の作品「ミラー」が、準会員賞となった。卓越した技術が発揮された化粧用の鏡セットである。野田洋氏の作品「琉球松輪宴皿」は、琉球松を使い大小の輪を組み合わせてボトルやビール、つまみを入れる皿などで構成されている。輪になった琉球松の質感と技術には感心するが、例年と同様の傾向であり、この際、発想の展開が望まれる。

会員作品

寄木文箱	奥　間　政　仁
大盃	津　波　敏　雄

準会員賞

ミラー	與那嶺　勝　正

準会員作品

琉球松輪宴皿	野　田　　　洋

沖展賞

蝶柄ロッキングチェア	屋　部　　　忠

奨励賞

孫の嫁入	玉　城　正　昌

浦添市長賞

原理的七宝文様間仕切	矢久保　　　圭

うるま市長賞

Flower stool	稲　嶺　優　子

一般入選作品

多面体	大　山　隆　三
屋久杉とセンダンの飾棚	小橋川　剛右
弁当箱（水仙）	照　屋　盛　人
フリーボックス	長　嶺　忠　雄
杖	松　田　　　忠
シーソー	屋　宜　政　廣
組子座卓	屋　部　　　忠

寄木文箱　大(H7.5×W35×D26)　小(H7.5×W29.5×D19.5)
奥間　政仁(会員)

大盃　(H16.5×W59×D59)　津波　敏雄(会員)

琉球松輪宴皿　(H50×W40×D30)
野田　洋(準会員)

準会員賞

ミラー　大(H45×W30×D15)　小(H30×W14×D10)
與那嶺　勝正(準会員)

　67回展奨励賞、68回展うるま市長賞、69回展沖展賞、73回展準会員賞、74回展準会員賞とすばらしい受賞歴である。今回、会員に推挙された。おめでとうございます。
　與那嶺勝正氏は、彫刻一筋六十余年、先駆者として頑張ってこられた。今回の作品も従来の出品作品同様緻密で、他の追随を許さないほど完成度の高い作品である。
　本人は工芸職人であって、工芸作家ではないと謙遜しているが、彫刻技術だけでなく指物技術も相当高度である。今回の作品に敢えて言えば、カラー紐にひと工夫が必要である。今後、木工芸部門で先導的立場で活躍することを期待している。

評－津波　敏雄（会員）

沖展賞

蝶柄ロッキングチェア　（H110×W70×D100）屋部　忠

　屋部忠氏の沖展歴は第72回展で沖展賞、第73回展で浦添市長賞、第74回展で沖展賞と連続受賞で、準会員に推挙された。木工に携わってから30年になるが、木工芸作品を意識しての創作活動は最近からで、個性的な作品作りを心かげているとのことだ。

　今回のロッキングチェアは、機能性とデザイン性と安定感が抜群である。背柱と後脚は、米杉一本から削り出されており、背板の組子は、高い技術力と集中力が要求される。座面は刳られて座り心地が大変良い。脚の先端と前脚と後脚との接合部分が緩やかなカーブになっている。作品の各部分が丸みを帯びて触り心地が良い。作品全体が洗練されているが、敢えて言うならば、背板の組子の色彩に工夫があってもよいと思われる。

　屋部氏は「このような作品ができたのは、職場の社長が材料と作業場を提供してくれ、周囲の方々の理解と協力と、沖展が発表の機会を与えて頂いたおかげだ」と言う。受賞を励みに精進してほしい。

評－奥間　政仁（会員）

奨励賞

孫の嫁入 （H70×W80×D40） 玉城　正昌

　ホワイト・アッシュ材を使い、ウレタン吹付けで仕上げたタンスである。
　起伏を付けた引き出しの彫りが波打ったように木目と相俟っており、丸みのある取手とバランスがよく、調和のとれたタンスである。単調とならずに味わい深い作品になっている。
　審査の際に、裏面にビス止めの処理があることが、今後の課題であると指摘された。

評－西村　貞雄（審査員）

浦添市長賞

原理的七宝文様間仕切　（H193.5×W81×D4)
矢久保　圭

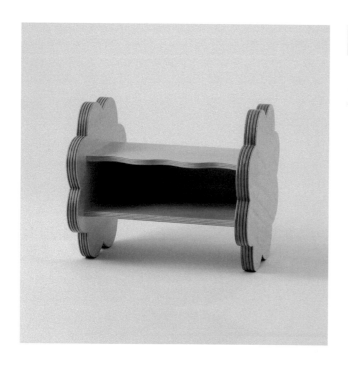

うるま市長賞

Flower stool　（H39×W35×D35)
稲嶺　優子

物故会員 略歴

平良 敏子（たいら としこ）（1921～2022）

　1921年大宜味村生まれ。戦時下の1944年、岡山県倉敷市の軍需工場に動員され、戦後の46年に同市で染織家の外村吉之介氏に織の技術を学ぶ。47年、沖縄戦で壊滅の危機にあった芭蕉布織を喜如嘉で始める。63年に芭蕉布織物工房を設立。74年、代表を務める喜如嘉の芭蕉布保存会の「喜如嘉の芭蕉布」が国指定重要無形文化財に認定。2000年には国指定重要無形文化財「芭蕉布」保持者（人間国宝）の認定を受けた。芭蕉布の復興に尽力した。

略 歴 ─────────────────

1921年（大正10年）	大宜味村生まれ
1954年（昭和29年）	第6回沖展　工芸部門新設の為　初出品
1964年（昭和39年）	第16回沖展　準会員賞
1965年（昭和40年）	第9回沖縄タイムス賞　文化賞
1972年（昭和47年）	日本民藝館展　日本民藝館賞
1980年（昭和55年）	黄綬褒章
1981年（昭和56年）	第1回伝統文化ポーラ賞　大賞
2000年（平成12年）	国指定重要無形文化財「芭蕉布」保持者として認定（人間国宝）
2002年（平成14年）	勲四等宝冠章
2022年（令和 4年）	9月13日（享年101歳）

宮平 初子（みやひら はつこ）（1922～2022）

　1922年那覇市生まれ。県立女子工芸学校で工芸・染色を学んだ後、柳宗悦に伴われ東京の日本民藝館に研修に赴く。柳悦孝染織研究所にて植物染色および紋織りの指導を受ける。帰郷後は学校で染織の指導をしながら、伝統の技法の調査、研究に専念。後継者の育成に努めた。「首里の織物」の7種類の技法全てに精通。1998年には国指定重要無形文化財「首里の織物」保持者（人間国宝）として認定。首里織の技術と復興に尽力した。

略 歴 ─────────────────

1922年（大正11年）	那覇市生まれ
1939年（昭和14年）	沖縄県立女子工芸学校を卒業
1965年（昭和40年）	第17回沖展　沖展賞
1969年（昭和44年）	第43回国展　国画賞
1970年（昭和45年）	日本民藝館展　日本民藝館賞
1973年（昭和48年）	第7回沖縄タイムス芸術選賞　大賞
1976年（昭和51年）	第50回国展　会員に推薦
1994年（平成 6年）	第38回沖縄タイムス賞　文化賞
1998年（平成10年）	国指定重要無形文化財「首里の織物」保持者として認定（人間国宝）
2000年（平成12年）	勲四等宝冠章
2022年（令和 4年）	3月7日没（享年99歳）

和宇慶 朝健（わうけ ちょうけん）（1945〜2022）

　1945年沖縄市生まれ。67年琉球大学文理学部美術工芸科卒業。県内中学、高校の教諭を経て県立芸大に赴任し、デザインを指導した。1984年から沖展絵画部門会員、版画部門が創設された87年から同部会員。93年に平和の礎デザインアイデアコンペティション大賞、沖縄タイムス芸術選賞大賞（92年度）を受賞

略 歴 ─────────────────────

1945年（昭和20年）	沖縄市生まれ
1966年（昭和41年）	第18回沖展　絵画部門奨励賞
1968年（昭和43年）	第20回沖展　絵画部門奨励賞
1969年（昭和44年）	第21回沖展　絵画部門奨励賞
1979年（昭和54年）	第31回沖展　絵画部門準会員賞
1983年（昭和58年）	第35回沖展　絵画部門準会員賞 会員推挙
1987年（昭和62年）	第39回沖展　版画部門新設に伴い 版画部門会員へ
1993年（平成 5年）	第27回沖縄タイムス芸術選賞大賞 「平和の礎」デザインアイデアコン ペティション大賞
1995年（平成 7年）	沖縄県立芸術大学美術工芸学部工 芸学科教授（デザイン専攻）
2022年（令和 4年）	7月16日没（享年77歳）

沖展のあゆみ

第1回（1949年）
沖縄タイムス創刊1周年記念事業として発足。7月2日～3日、**崇元寺旧本社**。第一部絵画審査作品20点、第二部招待30点、第三部公募18点、計68点。
〔タイムス美術賞〕（絵画）大村徳恵

第2回（1950年）
10月14日～16日、**那覇高校同窓会館**。絵画審査作品15点、公募54点、計69点。
〔沖縄タイムス賞〕（絵画）大嶺信一、仲里勇、屋宜盛功

第3回（1951年）
11月3日～5日、**那覇琉米文化会館**。今回からアンデパンダン展（無審査制）絵画60点、彫刻（新設）4点。一般投票で、金城安太郎、出品者全員と一般美術愛好家の投票で山元恵一の両氏がそれぞれ1位を得た。

第4回（1952年）
11月15日～17日、**那覇琉米文化会館**。前回と同じくアンデパンダン展。絵画82点、彫刻7点。
〔入賞〕（絵画）山里永吉
一般投票で大城皓也、柳光観の両氏が1位を得た。

第5回（1953年）
3月27日～31日（今回から会期3日間を5日間に延長）、**那覇高校新校舎**。アンデパンダン展。絵画75点（はじめて米婦人の出品があった。）彫刻7点。

第6回（1954年）
3月27日～31日、**那覇高校**。
アンデパンダン展を廃して審査制を復活。新たに沖展運営委員会を設ける。（委員）名渡山愛順、山田真山、山元恵一、山里永吉、仲里勇、嘉数能愛、末吉安久、安谷屋正義、玉那覇正吉、大城皓也、安次嶺金正、島田寛平、大嶺政寛（委員長）豊平良顕（本社）。絵画151点、彫刻10点、今回から新たに工芸部（紅型、陶器、漆器、堆錦）計81点と書道部53点が新設。本土から絵画8氏の招待出品あり。
〔入賞〕（絵画）池原喜久雄、安次富長昭

第7回（1955年）
3月26日～30日、**壺屋小学校**。

〔陳列〕絵画180点、彫刻12点、書道38点、工芸121点。今回は南風原コレクション20点と中央画壇からの賛助出品17点、展示総点数388点。
島田寛平氏に本社から美育功労賞を贈る。
〔入賞〕（絵画）大城宏捷、榎本正治、高江洲盛一、金城清二郎、上原浩、当間辰、真座幸子（彫刻）宮城哲雄

第8回（1956年）
3月24日～28日、**壺屋小学校**。
〔陳列〕南風原コレクションと本土から賛助出品（63点）の特別出品のほか絵画、彫刻、紅型、陶器、漆器、書道さらに今回から写真の部が新設された。絵画186点、彫刻13点、書道49点、工芸119点（紅型40点、陶器57点、漆器8点、玩具14点）写真（新設）108点。
〔入賞〕（絵画）当間幸雄、山里昌弘、大城喜代治、翁長以清、長田トヨ（紅型）渡嘉敷貞子（写真）池村義博、恵常人、伊集盛吉（琉球玩具）崎山嗣昌（陶器）金城敏男（書道）池村恵祐、当間誠一

第9回（1957年）
3月23日～27日、**壺屋小学校**。
〔陳列〕絵画215点、彫刻13点、工芸部205点（紅型織物41点、陶器123点、漆器28点、玩具13点）書道67点、写真202点。ほかに絵画で沖縄ではじめてのフランス現代作家24人の38点を展示。書道では、日本書道連盟賛助出品10点、陶器と紅型では陶芸家、浜田庄司氏の2点、国画会々員芹沢銈介氏の紅型1点、写真では大阪の北斗クラブ主宰延永実氏ほか5人の36点や南風原コレクション20点が展示された。
〔入賞〕（絵画）大城栄誠、浦添健、安元賢治、深見桂子、下地明増、富川盛智、喜久村徳男、真喜屋謙、西平和子（彫刻）翁長自修、玉那覇清徳（書道）比嘉宗一、当間誠一、仲間輝久雄、井上光晴、島袋健光（写真）与座義治、新条鉄太郎、松田清、ビル・ジ・バーナー、金城順一、田仲幹夫、山本達人、荒垣顕治（陶器）照屋陽、金城敏男、小橋川永弘、金城敏雄、翁長自修、島袋常一、島袋常明、小橋川永仁（紅型）城間道子、藤村玲子

第10回（1958年）
創立10周年。3月23日～27日、**壺屋小学校**。
〔陳列〕絵画98点、彫刻13点、書道94点、写真85点、工芸183点、ほかに日本版画院作品特陳25点、総点数473点。
10周年を記念し大嶺政寛、大城皓也、山元恵一、名渡山愛順の4氏に沖展創立以来の運営委員としての功績をたたえて本社から感謝状と記念品を贈った。
〔入賞〕（絵画）岸本一夫、屋良朝春、浦添健（彫刻）大山勝、比嘉敏夫（書道）島耕爾、池村恵祐、新垣洋子（写真）鹿島義雄、安里芳郎、当真荘平、川平朝申、親泊康哲、新条鉄太郎（陶器）金城敏男、島袋常明

第11回 （1959年）
3月21日〜25日、壺屋小学校。
〔陳列〕絵画207点、彫刻21点、書道95点、写真150点、工芸283点、春陽会選抜新人5氏の作品、本土作家（郷土出身も含む）の絵画、陶器など33室に陳列。
開会中ジャパン・タイムス美術評論家エリゼグリー女史が来場し、出品作品に対し批評があった。
〔入賞〕（絵画）神山泰治、大嶺実清、下地明増、大宜味猛、下地寛清（彫刻）大城宏捷（書道）比嘉宗一、池村恵祐、宮平良昭、糸嶺篤順（写真）山本達人、安里キヨ子、幸地良一、比嘉良夫、太田文治、東風平朝正（陶器）新垣栄一、小橋川永仁、小橋川永弘、島袋常明

第12回 （1960年）
3月23日〜27日、壺屋小学校。
〔陳列〕絵画273点、彫刻20点、書道100点、写真130点、工芸214点。
ほかに本土作家の招待作品、早稲田大学の特別出品による埴輪、縄文土器などがあった。
〔入賞〕（絵画）嘉味田宗一、宮良薫、永山信春、島袋嘉博、西銘康展、三宅利雄、山城善光（彫刻）上原隆昭、宮城篤正、上原秀夫（書道）当間誠一、佐久本興鴻、宮平良顕、渡口美子、糸嶺篤順、金城広、金城美代子（写真）東風平朝正、金城吉男、宮平真英、伊集盛吉（陶器）島袋常明、大城将俊、大城宏捷、高江洲育男、島袋常恵、金城敏男（染色）糸数隆、嘉数幸子、城間栄順、宮城光子、嘉陽宗久、城間千鶴子（織物）真栄城興盛

第13回 （1961年）
3月30日〜4月3日、壺屋小学校。
〔陳列〕絵画238点、彫刻24点、書道90点、写真80点（うちカラー2点）工芸（陶器103点、織物43点、染色48点、漆器20点、玩具5点）計219点。このほか本土招待出品として朝日新聞社の選抜秀作美術展、棟方志功の版画作品、女子美術大学沖縄紅型絣伝統工芸研究グループ8人による作品、本土在住郷土出身の作品を特別陳列。
〔沖展賞〕（絵画）神山泰治（染色・織物）漢那貞子（書道）糸嶺篤順（陶器）金城敏男（写真）豊島貞雄
〔奨励賞〕（絵画）当間善光、城間喜宏、上原浩、安元賢治、永山信春、宮良薫（彫刻）喜久村徳男、上原隆昭、城間喜宏（染色・織物）嘉数幸子（書道）宮城政夫、定歳実勇、宮平清徳、池村恵祐、国吉芳子（陶器）島武巳、島袋常一、宮城安雄、高江洲育男（写真）中山東、照屋寛、名渡山愛誠

第14回 （1962年）
3月30日〜4月3日、壺屋小学校。
〔陳列〕絵画204点、彫刻23点、書道127点、写真124点、工芸（陶器75点、織物24点、染色61点、漆器18点、玩具1点、ガラス19点）計198点。ほかに日本民芸協会の作品154点、故南風原朝光氏の遺作22点、渡嘉敷貞子さんの紅型作品25点を特別陳列。
〔沖展賞〕（絵画）仲地唯渉（彫刻）玉栄宏芳（書道）定歳実勇（写真）大嶺実（陶器）島武巳（染色）城間千鶴子
〔奨励賞〕（絵画）城間喜宏、治谷文夫、塩田春雄、大浜用光、大嶺実清（彫刻）田港イソ子、上原隆昭（書道）宮良喬子、宮城政夫、玻名城泰雄、当間誠一、浦崎康哲（写真）金城吉男、宮平真英、永井博明、松島英夫、川平朝申（陶器）島袋常一、島袋常登、小橋川永勝（染色）儀間静子（織物）新垣ナヘ、山元文子

第15回 （1963年）
3月30日〜4月3日、壺屋小学校。
〔陳列〕絵画156点。彫刻17点、書道125点、写真103点、工芸（陶器55点、漆器14点、織物21点、染色31点、ガラス13点、玩具1点）137点、商業美術38点。
今回から会員、準会員、客員制度を設け、従来の本土作家の招待出品制を取りやめる。沖展15周年に当り、"市中パレード"や恒例の"カーミスーブ"を行なう。商業美術部を新設。15周年を記念し、創立以来運営委員として尽力した大嶺政寛、大城皓也の両氏に沖展功労賞を贈った。
〔準会員賞〕（絵画）城間喜宏（陶器）島袋常明（染色）知念績弘
〔沖展賞〕（絵画）丸山哲士（商業美術）岸本一夫（彫刻）玉栄宏芳（書道）定歳実勇（写真）石川清廉（陶器）島武巳
〔奨励賞〕（絵画）島袋嘉博、西銘康展、与座宗俊、具志堅誓謹（商業美術）志喜屋孝英、翁長自修、舟路興八、喜屋武安子（書道）糸洲朝薫、宮良喬子、国吉芳子、高良弘英（写真）豊島貞夫、松島英夫、金城吉男、中山東（陶器）新垣栄信（漆器）津波敏雄

第16回 （1964年）
3月28日〜4月2日、壺屋小学校。
〔陳列〕絵画155点、彫刻35点、商業美術39点、書道123点、写真119点、工芸（陶器90点、漆器6点、織物11点、染色32点、ガラス4点）計143点。"カーミスーブ"で陶芸家の浜田庄司氏が模範演技を披露。
〔準会員賞〕（絵画）治谷文夫、安元賢治、具志堅誓謹（商業美術）翁長自修、岸本一夫（書道）定歳実勇、糸嶺篤順（織物）平良敏子（染色）玉那覇道子
〔沖展賞〕（絵画）儀間朝健（彫刻）田港イソ子（商業美術）宮城祥（書道）糸洲朝薫（写真）伊波清孝（陶器）島袋常一
〔奨励賞〕（絵画）与座宗俊、喜友名朝紀（彫刻）平川勝成、宮里昌健、友利直（商業美術）比嘉良仁、伊川英治（書道）国吉芳子、石垣真吉、豊平信則、宮平清徳（写真）島耕爾、大城長成、松島英夫、根津正明（陶器）新垣薫、新垣栄一（漆器）津波敏雄、古波鮫唯一、原国政祥（染色）具志堅美也子、金城昌太郎

第17回 （1965年）

3月30日～4月3日、壺屋小学校。

〔陳列〕絵画141点、彫刻23点、商業美術33点、書道87点、写真80点（うちカラー16点）、工芸（陶器37点、漆器27点、織物30点、染色32点、ガラス15点）計141点。"カーミスーブ"に加えて、八重山の書道グループによる獅子舞いが特別参加。美術館建設のための署名も同会場で行なわれた。

〔準会員賞〕（絵画）安元賢治、治谷文夫、城間喜宏（商業美術）舟路興八（書道）池村恵祐、糸嶺篤順（写真）松島英夫（陶器）島袋常恵

〔沖展賞〕（絵画）渡慶次真由（商業美術）平敷慶秀（書道）糸洲朝薫（陶器）新垣栄世（漆器）前田孝允＝デザイン、有銘寛順＝製作（織物）宮平初子

〔奨励賞〕（絵画）稲嶺成祚、新城美代子、平良晃、大浜英治（彫刻）嘉味元平仁、富元明雄、与座宗俊（商業美術）伊川栄治、山田栄一、宮城保武、瀬底正憲、新垣正一（書道）吉峯弘祐、玻名城泰雄、下地喬子、飯田恒久（写真）中山竜男、新里紹正、備瀬和夫、伊波清孝（陶器）新垣信一、小橋川永勝（漆器）前田孝允＝デザイン、大見謝恒正＝製作、嘉手納憑勇、長嶺但従（染色）城間栄順、嘉陽宗久（織物）与那嶺貞

第18回 （1966年）

3月30日～4月3日までの5日間、壺屋小学校。

〔陳列〕絵画157点、彫刻38点、商業美術43点、書道96点、写真82点（うちカラー13点）、工芸（陶器73点、漆器25点、織物28点、染色33点、ガラス4点、玩具5点）計168点。

〔準会員賞〕（絵画）治谷文夫（彫刻）宮城哲雄（写真）小林昇（商業美術）比嘉良仁（陶器）島袋常恵（書道）池村恵祐（染色）城間栄順（織物）宮平初子

〔沖展賞〕（絵画）渡慶次真由（写真）島耕爾（商業美術）宮城保武（書道）玻名城泰雄（陶器）新垣栄世（漆器）前田孝允＝デザイン、原国政祥＝製作

〔奨励賞〕（絵画）和宇慶朝健、大浜英治、島袋嘉博（彫刻）平良昭隆、西村貞雄（写真）森幸次郎、曽根信一、中村幸裕、佐久川政功（商業美術）新垣正一、相羽立矢、仲元清輝（書道）上原せい子、上原彦一、与那覇よし子、金城順子、吉峯弘祐（陶器）国吉清尚、島袋常登、新垣勲（漆器）大見謝恒正、渡口政雄、有銘寛順（染色）安藤順子、金城昌太郎（織物）大城志津子、浦崎康賢

第19回 （1967年）

3月30日から4月3日までの5日間、壺屋小学校。

〔陳列〕絵画123点、彫刻32点、写真86点、商業美術42点、書道97点、陶器78点、染色39点、織物38点、漆器28点、ガラス3点、計569点。

〔準会員賞〕（絵画）上原浩（写真）島耕爾（商業美術）伊川栄治（陶芸）島袋常明（書道）糸洲朝薫、玻名城泰雄（漆芸）前田孝允

〔沖展賞〕（絵画）新城美代子（彫刻）西村貞雄（写真）中村幸裕（商業美術）相羽立矢（書道）上原彦一（陶芸）島袋常一（織物）大城志津子（漆芸）古波鮫唯一

〔奨励賞〕（絵画）大浜英治、近田洋一（彫刻）砂川安正（写真）伊波清孝、佐久川政功、備瀬和夫（商業美術）新垣正一、城間善夫、宮良薫、上地昭子（書道）金城順子、糸洲朝計、高良弘英、高江洲康政、与那覇よし子（陶芸）高江洲康謹、湧田弘、新垣勲（染色）安藤順子（織物）与那嶺貞、大城清助、浦崎康賢（漆芸）長嶺但従、長嶺真清

第20回 （1968年）

20周年記念展。3月30日から4月3日までの5日間、壺屋小学校。

〔陳列〕絵画117点、彫刻28点、商業美術47点、書道104点、写真90点、陶芸77点、漆芸29点、織物31点、染色44点、玩具5点、計572点。嘉数能愛、南風原朝光、榎本正治、安谷屋正義、森田永吉、島田寛平、島耕爾各氏の遺作の展示。

20周年記念式展は30日、沖縄タイムスホールで行なわれ、会員60人、準会員49人、会場提供の壺屋小学校へ記念品と賞状を贈る。

〔準会員賞〕（絵画）上原浩、神山泰治（商業美術）比嘉良仁（書道）国吉芳子、玻名城泰雄（陶芸）島袋常明

〔沖展賞〕（絵画）大浜英治（書道）上原彦一（陶芸）湧田弘（商業美術）仲元清輝（写真）有銘盛紀（彫刻）西村貞雄

〔奨励賞〕（絵画）和宇慶朝健、下地正宏、ブレンド・キンガリー、ハーレンアンソニー（彫刻）池城安昭（商業美術）宮良薫、具志弘樹、上地伊知郎（書道）金城順子、松井政吉、上原せい子、高良弘一（写真）森幸次郎、根津正昭、友利哲夫、佐久川政功（陶芸）新垣栄一、島袋常一、島袋常登（漆芸）嘉手納憑勇、伊波秀正、小那覇安義（織物）松本治子、新垣ナヘ

第21回 （1969年）

3月29日から4月3日まで（3月31日は休み）5日間、那覇高校。

〔陳列〕絵画106点、彫刻42点、商業美術51点、書道98点、写真81点、陶芸74点、漆芸25点、織物30点、染色29点、玩具4点、計540点。

〔準会員賞〕（絵画）稲嶺成祚、浦添健（商業美術）山田栄一、宮良薫（書道）国吉芳子、糸洲朝薫（陶芸）新垣栄世（漆芸）津波敏雄（染色）城間栄順

〔沖展賞〕（商業美術）新屋敷孝雄（写真）呉屋永幸（書道）上原彦一

〔奨励賞〕（絵画）和宇慶朝健、普天間敏、上地弘（彫刻）具志堅宏清、砂川安正、与那原勲（商業美術）相羽立矢、具志弘樹、金城育子、富村政宏、平良長伸、嵩西利夫（写真）森幸次郎、ジャンパーマー（書道）与那覇よし子、金城順子、豊平信則、吉峯弘祐（陶芸）島袋常登、新垣勲、高江洲康謹、島袋常一（漆芸）金城唯喜、伊波秀正（織物）大城清助、大

城広四郎

第22回 （1970年）
3月30日から4月2日まで4日間、那覇商業高校。
〔陳列〕絵画109点、彫刻30点、商業美術52点、書道104点、写真84点、陶芸82点、漆芸30点、織物32点、染色35点、玩具3点、計561点。
会員、準会員推挙
〔会員〕（漆芸）津波敏雄（彫刻）西村貞雄（商業美術）宮良薫
〔準会員〕（彫刻）池城安昭（商業美術）新垣正一（写真）有銘盛紀（絵画）大浜英治
〔準会員賞〕（商業美術）具志弘樹（書道）糸洲朝薫（写真）森幸次郎、豊島貞夫（漆芸）津波敏雄（彫刻）西村貞雄
〔沖展賞〕（商業美術）光瀬善治（写真）有銘盛紀（陶芸）新垣勲
〔奨励賞〕（絵画）普天間敏、具志恒勇、比嘉武史（彫刻）糸数正男、池城安昭（商業美術）喜舎場正一、渡嘉敷哲郎、仲元清輝、大久保彰（書道）我喜屋汝揖、当間裕、新垣昌也、渡口嘉三、伊波英子（写真）平良孝七、岡本恵紘、新川唯介（陶芸）島袋常一、新垣栄一、島袋常秀（漆芸）前田国男（織物）大城廣四郎、桃原厚助、大城繁雄（染色）屋比久直子、大城美登里

第23回 （1971年）
3月31日から4月3日まで4日間、那覇商業高校。
〔陳列〕絵画111点、彫刻26点、商業美術54点、書道87点、写真94点、陶芸81点、漆芸25点、染色26点、織物35点、玩具3点、計542点。
会員・準会員推挙
〔会員〕（書道）糸洲朝薫（陶芸）小橋川永仁（写真）森幸次郎
〔準会員〕（絵画）喜久村徳男、喜友名朝紀、儀間朝健、普天間敏（陶芸）新垣勲、新垣栄一、島袋常一（書道）上原せい子（写真）呉屋永幸（商業美術）仲元清輝
〔準会員賞〕（写真）備瀬和夫、森幸次郎（商業美術）新垣正一、宮城祥（書道）吉峯弘祐（陶芸）小橋川永仁（染色）藤村玲子
〔沖展賞〕（絵画）田場博文（写真）呉屋永幸（商業美術）平安座資成（書道）上原せい子（陶芸）新垣勲（漆芸）前田国男
〔奨励賞〕（絵画）上地弘、大城清、高島彦志、普天間敏（写真）比嘉豊光、池宮三千男、Leonard.A.Johnson（商業美術）新屋敷孝雄、喜舎場正一、銘苅清市、仲元清輝（書道）新垣昌也、当間裕、波照間三蔵（彫刻）大城好子、稲嶺光男、友知雪江（陶芸）島袋常戸、新垣勉、島袋常一（漆芸）新垣良子（染色）屋比久貞子（織物）高江洲正子、諸見勝美

第24回 （1972年）
3月28日から4月4日まで8日間、神原中学校。
〔陳列〕絵画112点、彫刻25点、商業美術57点、書道82点、写真89点、陶芸89点、漆芸27点、染色35点、織物43点、玩具4点、計563点。
会員・準会員推挙
〔会員〕（陶芸）小橋川永弘
〔準会員〕（書道）当間裕（漆芸）前田国男（商業美術）佐久本好夫
〔準会員賞〕（商業美術）宮城保武（写真）有銘盛紀（書道）高良弘英
〔沖展賞〕（商業美術）照谷恒宣（写真）小橋川門福（書道）登川正雄（陶芸）新垣勲（漆芸）前田国男
〔奨励賞〕（絵画）大城清、佐久本伸光、運天真津子、金城進（彫刻）川平恵造、長嶺よし、津波古稔（商業美術）城間善夫、伊波興太郎、高島彦志、佐久本好夫（写真）津野力男、上地安隆、平良正一郎（書道）当間裕、安室哲夫（陶芸）島袋常秀、上江洲茂生、仲本克（漆芸）新垣良子、神山義照、さだ江・Y・ウォルターズ（染色）屋比久貞子、玉那覇有公（織物）桃原ナヘ、大城誠光、大城カメ

第25回 （1973年）
25周年記念、3月29日から4月4日まで（31日は休み）の6日間、那覇高校。
〔陳列〕絵画119点、彫刻19点、デザイン44点、書道80点、写真85点、陶芸86点、漆芸22点、染色28点、織物34点、玩具4点、計521点。
25周年を記念して会員と準会員に感謝状と記念楯を贈り、沖展賞受賞の6氏を東京旅行に招待、春陽展と国展を見学。
会員・準会員推挙
〔会員〕（絵画）渡慶次真由、下地寛清（デザイン）宮城保武、具志弘樹、相羽立矢
〔準会員〕（絵画）比嘉武史（デザイン）喜舎場正一、大久保彰（彫刻）長嶺よし（織物）大城カメ、大城広四郎（陶芸）小橋川永勝
〔準会員賞〕（絵画）渡慶次真由、下地寛清（デザイン）相羽立矢、具志弘樹（書道）吉峯弘祐（陶芸）島袋常一（染色）玉那覇道子（織物）祝嶺恭子
〔沖展賞〕（絵画）比嘉武史（彫刻）当間末子（デザイン）平安座資尚（写真）高田誠（陶芸）島袋常秀（織物）大城カメ
〔奨励賞〕（絵画）玉城正明、高島彦志、佐久本伸光（彫刻）小橋川義信、長嶺よし（デザイン）大久保彰、崎浜秀昌（書道）渡口嘉三、登川正雄（織物）玉城カマド、高江洲政子（写真）上地安隆、末吉発、平井順光（漆芸）金城唯喜（陶芸）上江洲茂男、小橋川昇、仲本克、新垣勉

第26回 （1974年）
3月30日から4月4日の6日間、**那覇商業高校**で開催。

〔陳列〕絵画110点、彫刻24点、デザイン44点、写真86点、書道71点、陶芸85点、染色24点、織物48点、漆芸22点、玩具4点の計521点を陳列。

会員・準会員推挙
〔会員〕（書道）玻名城泰雄（陶芸）島袋常一（染色）玉那覇道子

〔準会員〕（絵画）高島彦志（彫刻）友知雪江、津波古稔（陶芸）新垣勉

〔準会員賞〕（絵画）喜友名朝紀、比嘉武史（デザイン）大久保彰（書道）東江順子、玻名城泰雄（陶芸）島袋常一（織物）大城廣四郎

〔沖展賞〕（絵画）佐久原侯子（書道）渡口嘉三（写真）平井順光（陶芸）新垣勉（漆芸）嘉手納憑勇（染色）玉那覇有公（織物）友利玄純

〔奨励賞〕（絵画）赤嶺正則、高島彦志、中村貴司（彫刻）津波古稔、友知雪江（デザイン）金城正司、本庄正巳（書道）阿部田鶴子、新城弘志（写真）津野光良、野波正永、前原基男（陶芸）島袋常秀、照屋佳信（漆芸）知念宏清（織物）糸数幸子、城間勝美、桃原厚吉

第27回 （1975年）
3月29日から4月3日までの6日間、**神原中学校**。

〔陳列〕絵画107点、彫刻28点、デザイン48点、写真73点、書道81点、陶芸86点、染色26点、織物44点、漆芸22点、ガラス5点、玩具（遺作）8点の計528点を陳列。

会員・準会員推挙
〔会員〕（絵画）比嘉武史、普天間敏、喜久村徳男、喜友名朝紀（デザイン）新垣正一（染色）藤村玲子

〔準会員〕（デザイン）照谷恒宣、高島彦志（書道）渡口嘉三（陶芸）島袋常秀、上江洲茂生、湧田弘（漆芸）伊波秀正（染色）玉那覇有公

〔準会員賞〕（絵画）普天間敏、比嘉武史（デザイン）新垣正一、大久保彰（陶芸）新垣勲（漆芸）古波鮫唯一（染色）藤村玲子

〔沖展賞〕（デザイン）高島彦志（書道）我喜屋秋正（陶芸）上江洲茂生（染色）玉那覇有公（織物）下地恵康

〔奨励賞〕（絵画）座覇政秀、砂川喜代（彫刻）屋嘉比柴起、島袋和代（デザイン）神山寛、本庄正巳、豊島亮一（書道）

玻名城昭子、亀島義侑（写真）津野力男、稲福政昭、鳩間利洋、小橋川哲（陶芸）高江洲育男、新垣修（漆芸）伊波秀正、内間良子（織物）与那嶺貞、大城誠光

第28回 （1976年）
3月30日から4月4日までの6日間、**那覇高校**。

〔陳列〕絵画104点、彫刻27点、デザイン46点、写真73点、書道77点、陶芸100点、染色22点、織物33点、漆芸24点の計506点を陳列。

会員・準会員推挙
〔会員〕（絵画）儀間朝健（デザイン）大久保彰（書道）東江順子、国吉芳弘、吉峯弘祐（写真）有銘盛紀、備瀬和夫（漆芸）古波鮫唯一（織物）祝嶺恭子

〔準会員〕（絵画）上地弘（書道）新城弘志、登川正雄、我喜屋汝揖、宮城政夫（写真）津野力男、平良正一郎、平井順光、前原基男（陶芸）新垣修、高江洲育男、島袋常戸、高江洲康謹（漆芸）嘉手納憑勇、金城唯喜（織物）与那嶺貞、浦崎康賢、大城誠光

〔準会員賞〕（絵画）儀間朝健（彫刻）上原隆昭（デザイン）大久保彰（書道）東江順子（写真）有銘盛紀、備瀬和夫（陶芸）上江洲茂男（漆芸）古波鮫唯一、前田国男（織物）祝嶺恭子（染色）玉那覇有公

〔沖展賞〕（絵画）上地弘（書道）武田正子（陶芸）照屋佳信（織物）浦崎康賢

〔奨励賞〕（絵画）小橋川憲男、砂川喜代、赤嶺正則（彫刻）阿波根恵子、具志堅宏清、仲宗根清（デザイン）小浜晋、金城正司（書道）新城弘志、大城民子（写真）前原基男、平良正一郎、照屋忠（陶芸）新垣修（漆芸）嘉手納憑勇、金城唯喜（織物）饒平名玲子（染色）田名克子

第29回 （1977年）
3月29日から4月3日までの6日間、**首里高校**。

〔陳列〕絵画111点、彫刻27点、デザイン53点、写真71点、書道81点、陶芸97点、染色17点、織物46点、漆芸24点の計527点。

会員・準会員の推挙
〔会員〕（絵画）大浜英治（書道）高良弘英（陶芸）新垣勲（染色）玉那覇有公

〔準会員〕（絵画）砂川喜代、佐久本伸光、座覇政秀（彫刻）仲宗根清、具志堅宏清（デザイン）金城正司（写真）上地安隆（書道）豊平信則（陶芸）照屋佳信（織物）玉城カマド

〔準会員賞〕（絵画）大浜英治（彫刻）長嶺よし（書道）新城弘志（写真）前原基男（陶芸）新垣勲（染色）玉那覇有公（織物）大城カメ

〔沖展賞〕（彫刻）仲宗根清（書道）豊平信則（写真）久高将和（陶芸）照屋佳信（織物）多和田淑子

〔奨励賞〕（絵画）砂川喜代、座覇政秀（彫刻）具志堅宏清（デザイン）金城正司、佐久本伸光（書道）砂川米市、盛島高行（写真）末吉はじめ、伊元源治、上地安隆（陶芸）小橋

川昇、国場健吉（漆芸）大見謝恒雄（染色）玉那覇清（織物）大城清栄、玉城カマド

第30回 （1978年）
３月28日から４月２日までの６日間、首里高校。
〔陳列〕絵画109点、彫刻27点、デザイン42点、写真102点、書道93点、陶芸93点、漆芸23点、染色22点、織物42点の計553点。30周年を記念して各部の遺作品を展示したほかに、具志川市復帰記念会館（４月15日〜19日）、名護市教育委員会ホール（４月22日〜25日に）で選抜移動展をひらく。
会員・準会員の推挙
〔会員〕（彫刻）長嶺よし（写真）前原基男（漆芸）前田国男（織物）与那嶺貞
〔準会員〕（絵画）赤嶺正則（陶芸）小橋川昇
〔準会員賞〕（彫刻）長嶺よし、仲宗根清（書道）豊平信則（写真）前原基男（漆芸）金城唯喜、前田国男
〔沖展賞〕（絵画）赤嶺正則（デザイン）神山寛（書道）盛島高行（写真）真栄田久嗣（陶芸）島袋常善（漆芸）梅林素子（織物）真栄城喜久江
〔奨励賞〕（絵画）金城進、松田勇（彫刻）喜名盛勝、青木利実（デザイン）玉城徳正、小浜晋（書道）新川善一郎、砂川米市（写真）上江洲清徳、伊元源治（陶芸）小橋川昇、金城敏昭（漆芸）名嘉真理子（染色）西平幸子、知念貞男（織物）長嶺亨子、高江洲政子、多和田淑子

第31回 （1979年）
３月28日から４月２日までの６日間、神原中学校。
〔陳列〕絵画104点、彫刻28点、デザイン52点、写真99点、書道103点、陶芸90点、漆芸32点、染色16点、織物50点の計575点。
会員・準会員の推挙
〔会員〕（書道）豊平信則（陶芸）上江洲茂生
〔準会員〕（絵画）金城進（彫刻）富元明雄（デザイン）本圧正巳、小浜晋（書道）盛島高行、阿部田鶴子（陶芸）島袋常善（織物）真栄城喜久江、多和田淑子
〔準会員賞〕（絵画）和宇慶朝健（彫刻）具志堅宏清（デザイン）高島彦志（書道）豊平信則（陶芸）上江洲茂生（漆芸）伊波秀正
〔沖展賞〕（絵画）吉山清晴（彫刻）富元明雄（デザイン）本圧正巳（書道）阿部田鶴子（写真）仲宗根哲男（陶芸）島袋常正（織物）真栄城喜久江

〔奨励賞〕（絵画）瑞慶山昇、金城進、比嘉良二（デザイン）新垣和男、小浜晋（書道）上間徳保、盛島高行（写真）上江洲清徳、石垣永精（陶芸）島袋秀栄、島袋常善（漆芸）大見謝恒雄、甲賀明子（織物）長嶺亨子、知花美恵子、多和田淑子

第32回 （1980年）
３月28日から４月２日までの６日間、神原中学校。
〔陳列〕絵画91点、彫刻34点、デザイン42点、写真88点、書道102点、陶芸86点、漆芸39点、染色14点、織物45点の計541点。
会員・準会員の推挙
〔会員〕（絵画）上地弘（彫刻）上原隆昭（漆芸）伊波秀正、金城唯喜（織物）大城カメ、大城廣四郎、浦崎康賢
〔準会員〕（彫刻）当間未子（デザイン）玉城徳正（写真）上江洲清徳（陶芸）島袋常正
〔準会員賞〕（絵画）ウエチ・ヒロ（彫刻）上原隆昭（写真）平良正一郎（陶芸）新垣勉（漆芸）金城唯喜、伊波秀正、嘉手納憑勇（織物）大城廣四郎、大城カメ
〔沖展賞〕（彫刻）山城清典（書道）長嶺幸子（写真）上江洲清徳（陶芸）島常信
〔奨励賞〕（絵画）瑞慶山昇、当山進、屋良朝春（彫刻）当間未子、喜名盛勝、上江洲由郎（デザイン）小橋川共志、玉城徳正（書道）下地武夫、高良房子、仲本朝信（写真）玉城哲夫、浦崎博一（陶芸）島袋常正、与那覇朝一、新垣栄用（漆芸）佐伯芳子、宮里信正（染色）田名克子、平野晋二郎（織物）新垣幸子

第33回 （1981年）
３月27日から４月１日までの６日間、神原中学校。
〔陳列〕絵画98点、彫刻32点、デザイン49点、写真87点、書道108点、陶芸81点、漆芸23点、染色20点、織物52点の計550点。
会員・準会員の推挙
〔会員〕（デザイン）宮城祥、金城正司（写真）平良正一郎（書道）上原彦一（漆芸）嘉手納憑勇
〔準会員〕（絵画）屋良朝春（彫刻）喜名盛勝（書道）波照間三蔵、砂川米市（陶芸）島袋秀栄（織物）新垣幸子
〔準会員賞〕（絵画）金城進（デザイン）宮城祥、金城正司（写真）平良正一郎（書道）上原彦一（陶芸）金城敏男（漆芸）嘉手納憑勇（織物）真栄城喜久江、多和田淑子
〔沖展賞〕（書道）波照間三蔵（陶芸）島袋秀栄（織物）宮平吟子
〔奨励賞〕（絵画）屋良朝春、比嘉良二、与久田健一（彫刻）新垣盛秀、喜名盛勝、知花均（デザイン）小橋川共志、崎浜秀昌、知念秀幸、宜保定和（書道）宮良善元、砂川米市、上間徳保（写真）石垣永精、佐久本政紀、玉城哲夫、崎山佳裕（陶芸）島袋文正、金城敏昭（漆芸）佐伯芳子（染色）平野晋二郎、伊差川洋子（織物）大城清栄、玉城博子、新垣幸子、

大城慧子

第34回 （1982年）

３月27日から４月２日までの７日間、神原中学校。

〔陳列〕絵画109点、彫刻34点、デザイン49点、写真100点、書道109点、陶芸77点、漆芸35点、染色20点、織物52点の計585点。

会員・準会員の推挙

〔会員〕（デザイン）喜舎場正一（陶芸）金城敏男、新垣勉（織物）真栄城喜久江

〔準会員〕（絵画）比嘉良二（デザイン）崎浜秀昌、小橋川共志、知念秀幸（写真）玉城哲夫（陶芸）島常信（織物）大城清栄、ルバース・ミヤヒラ吟子

〔準会員賞〕（絵画）赤嶺正則（彫刻）富元明雄（デザイン）喜舎場正一、小浜晋（書道）大城よし子（陶芸）金城敏男、新垣勉（織物）真栄城喜久江

〔沖展賞〕（絵画）比嘉良二（デザイン）崎浜秀昌（書道）大城稔（漆芸）照屋和那

〔奨励賞〕（絵画）当山進、与久田健一、鎮西公子（彫刻）小橋川義信、伊元隆一、金城直美（デザイン）小橋川共志、知念秀幸（書道）名渡山登子、仲村信男（写真）玉城哲夫、宮平秀昭、金城盛弘（陶芸）相馬正和、高江洲康次、島常信（漆芸）上間秀雄（染色）平野晋二郎、金城ありさ（織物）湧川ヨネ子、大城清栄、大城一夫

第35回 （1983年）

３月27日から４月３日までの８日間、神原中学校。

〔陳列〕絵画120点、彫刻38点、デザイン50点、写真105点、書道120点、陶芸73点、漆芸26点、染色20点、織物47点、ガラス９点の計608点。

会員・準会員の推挙

〔会員〕（絵画）和宇慶朝健（書道）大城よし子（織物）多和田淑子（彫刻）富元明雄

〔準会員〕（絵画）吉山清晴、与久田健一、鎮西公子、瑞慶山昇、当山進（書道）仲本朝信、我喜屋秋正（陶芸）新垣修（織物）長嶺亨子（彫刻）小橋川義信

〔準会員賞〕（絵画）和宇慶朝健（彫刻）富元明雄（デザイン）知念秀幸（写真）上江洲清徳（書道）大城よし子（陶芸）島袋常秀（織物）多和田淑子

〔沖展賞〕（絵画）鎮西公子（彫刻）小橋川義信（写真）西原忍（書道）仲本朝信（陶芸）新垣修（漆芸）上間秀雄（織物）真栄城興茂（ガラス）大城孝栄

〔奨励賞〕（絵画）与久田健一、浦崎彦志、吉山清晴（彫刻）新垣幸俊、當真勲（デザイン）下地恵都、銘苅清市（写真）崎山嗣光、佐久本政紀（書道）下地武夫、我喜屋明正、高良房子（陶芸）相馬正和、澤岻安一（漆芸）新城安傑、照屋和那（染色）伊差川洋子（織物）高嶺シゲ、長嶺亨子、湧川米子（ガラス）稲嶺盛吉

第36回 （1984年）

３月26日から４月３日までの９日間、那覇商業高校。

〔陳列〕絵画111点、彫刻26点、デザイン55点、写真110点、書道122点、陶芸65点、漆芸19点、染色19点、織物52点、ガラス10点の計589点。

会員・準会員の推挙

〔会員〕（書道）登川正雄（陶芸）島袋常秀

〔準会員〕（絵画）浦崎彦志（デザイン）銘苅清市（書道）下地武夫（漆芸）照屋和那、上間秀雄（染色）伊差川洋子

〔準会員賞〕（絵画）与久田健一（彫刻）津波古稔（デザイン）崎浜秀昌（写真）津野力男、玉城哲夫（陶芸）島袋常秀（織物）ルバース・ミヤヒラ吟子、新垣幸子（書道）登川正雄

〔沖展賞〕（絵画）奥原崇典（デザイン）銘苅清市（漆芸）津嘉山栄造（染色）伊差川洋子（書道）下地武夫

〔奨励賞〕（絵画）山内盛博、浦崎彦志、新城剛（彫刻）上江洲由郎、當真勲（デザイン）与那嶺勉、当山善英（写真）金城盛弘、宮城保武（陶芸）高江洲盛良、島袋文正（ガラス）稲嶺盛吉（漆芸）上間秀雄（織物）真栄城興茂、砂川美恵子、渡久山千代（染色）堀内あき、玉那覇清、宮城里子（書道）大城武雄、玉代勢忠雄、福原兼永、仲村信男

第37回 （1985年）

３月24日から４月３日までの11日間、那覇商業高校。

〔陳列〕絵画106点、彫刻34点、デザイン46点、写真112点、書道125点、陶芸74点、漆芸29点、染色18点、織物50点、ガラス７点の計600点。

会員・準会員の推挙

〔会員〕（絵画）与久田健一、屋良朝春（彫刻）具志堅宏清（デザイン）小浜晋（織物）新垣幸子

〔準会員〕（絵画）奥原崇典、新城剛（織物）真栄城興茂（染色）安藤順子（ガラス）稲嶺盛吉（書道）仲村信男

〔準会員賞〕（絵画）当山進、屋良朝春、与久田健一、鎮西公子、比嘉良二（彫刻）具志堅宏清、喜名盛勝（デザイン）小浜晋、本庄正巳、仲元清輝（書道）下地武夫、我喜屋明正（陶芸）島袋秀栄（織物）新垣幸子、玉城カマド

〔沖展賞〕（絵画）新城剛（写真）屋部高志（書道）和宇慶信八（陶芸）比嘉勇彦（織物）豊見山カツ子（ガラス）稲嶺盛吉

〔奨励賞〕（絵画）奥原崇典、前原盛文、山内盛博（彫刻）新垣幸俊、高嶺善行、古堅真由美（デザイン）当山善英、与那覇勉（写真）古堅宗助、呉屋良延、普天間直弘（書道）茅原善元、福原兼永、仲村信男、比嘉良勝、玉村弥介（陶芸）涌井充雄、高江洲盛良、山内米一（漆芸）当間文子、新城安傑（織物）西村源護、真栄城興茂（染色）宮城里子、安藤順子

第38回 （1986年）

３月29日から４月４日までの７日間、那覇商業高等学校。

〔陳列〕絵画115点、彫刻44点、デザイン51点、写真106点、書道163点、陶芸73点、漆芸16点、染色21点、織物44点、ガラス12点、合計660点。

会員・準会員の推挙

〔会員〕（絵画）鎮西公子、下地明増（彫刻）喜名盛勝（デザイン）本庄正巳、銘苅清市、仲元清輝、知念秀幸（書道）我喜屋明正（織物）玉城カマド

〔準会員〕（絵画）山内盛博（彫刻）新垣幸俊（書道）茅原善元、大城稔（漆芸）新城安傑

〔準会員賞〕（絵画）鎮西公子、下地明増（彫刻）喜名盛勝、友知雪江（デザイン）玉城徳正、銘苅清市、知念秀幸、本庄正巳（陶芸）島袋常善（織物）真栄城興茂、玉城カマド（書道）仲村信男、我喜屋明正、阿部田鶴子

〔沖展賞〕（絵画）照屋万里（デザイン）城間肇（写真）上地キミ子（ガラス）平良恒雄（書道）茅原善元

〔奨励賞〕（絵画）大城勝子、島袋喜代子、中島イソ子、山内盛博（彫刻）崎枝静子、新垣幸俊、上江洲由郎（デザイン）大城康伸、亀川康栄、玉栄昭彦（写真）石垣佳彦、末吉行勇、大浜博吉（陶芸）山内米一、大林達雄、国場一（漆芸）前田比呂也、新城安傑（ガラス）仲吉幸喜、泉川寛勇（染色）宮城里子、国場節子（織物）大城一夫、中原志津子（書道）宮里朝尊、岸本定昇、砂川栄、大城稔、安里牧子

第39回（1987年）

3月29日から4月4日まで7日間、那覇商業高校。
今回から版画部門が絵画から独立し、一層の充実を図った。
一般からの応募作品1,001点の中から入賞作品36点、入選432点、会員、準会員、賛助会員の作品を含めて総数726点展示した。

〔陳列〕絵画109点、版画24点、彫刻38点、デザイン54点、写真119点、陶芸93点、漆芸26点、ガラス19点、染色17点、織物40点、書道187点。合計726点

会員・準会員の推挙

〔会員〕（彫刻）津波古稔（書道）仲村信男、阿部田鶴子（陶芸）島袋秀栄（織物）ルバース・ミヤヒラ吟子

〔準会員〕（絵画）照屋万里、金城満（彫刻）當間勲（デザイン）亀川康栄、城間肇（書道）大城武雄（陶芸）高江洲盛良（染色）宮城里子

〔準会員賞〕（絵画）浦崎彦志（彫刻）津波古稔（版画）瑞慶山昇（陶芸）島袋秀栄（漆芸）新城安傑（織物）ルバース・ミヤヒラ吟子（書道）大城稔、仲村信男、盛島高行、阿部田鶴子

〔沖展賞〕（絵画）金城満（版画）山城茂徳（写真）大城信吉（染色）宮城里子（織物）中原志津子（書道）比嘉千鶴子

〔奨励賞〕（絵画）宮城鶴子、照屋万里、北村英子、金城準子（彫刻）當間勲、かみぢまさ、上江洲由郎、崎枝静子（版画）大城勝（デザイン）亀川康栄（ポスター・パッケージ）城間肇（写真）普天間直弘、花城卓起、新田健夫（陶芸）西平守正、高江洲盛良、島袋常栄（漆芸）伊集守輝、松田勲

（ガラス）大城孝栄、平良恒雄（染色）仲吉悦子（織物）高嶺成、新里玲子（書道）大城武雄、泉朝信、漢那朝康、本村晴美、渡名喜清

第40回（1988年）

3月27日から4月17日まで22日間、浦添市民体育館。
沖縄文化のルネッサンスを象徴する「沖展」は40周年を迎え、浦添市、浦添市教育委員会の協力を得て、装いも新たに会場を浦添市民体育館へ移し、22日間にわたる長期間開催した。

〔陳列〕絵画132点、版画22点、彫刻34点、デザイン51点、書道255点、写真138点、陶芸85点、漆芸21点、染色18点、織物40点、ガラス25点。合計821点

会員・準会員の推挙

〔会員〕（絵画）浦崎彦志（彫刻）友知雪江（デザイン）照谷恒宣（写真）津野力男、上江洲清徳（書道）新城弘志（陶芸）島袋常善

〔準会員〕（絵画）中島イソ子（彫刻）崎枝静子（デザイン）大城康伸、与那覇勉（陶芸）高江洲康次（織物）大城一夫（ガラス）大城孝栄

〔準会員賞〕（絵画）新城剛、浦崎彦志（写真）津野力男、上江洲清徳（デザイン）城間肇、照谷恒宣（漆芸）上間秀雄（陶芸）島袋常善（彫刻）友知雪江（書道）新城弘志

〔沖展賞〕（絵画）中島イソ子（デザイン）大城康伸（ガラス）大城孝栄（陶芸）高江洲康次（書道）小杉紘子

〔奨励賞〕（絵画）宮里昌健、山田武、伊良部恵勝、宮里顕（写真）崎山洋子、坂井和夫（デザイン）与那覇勉、山田英夫（染色）具志七美、知念貞男（織物）比嘉恵美子、大城一夫、糸数江美子（漆芸）宇良英明、松田勲（ガラス）末吉清一（陶芸）澤岻安一、金城敏幸（彫刻）松堂徳正、崎枝静子、高嶺善昇（版画）比嘉良徳、知念秀幸（書道）豊平美栄子、比嘉良勝、砂川栄、安里牧子、渡名喜清、吉里恒貞

第41回（1989年）

4月2日（日）〜4月23日（日）まで22日間、浦添市民体育館で浦添市、浦添市教育委員会の協力で開催。

〔陳列〕絵画130点、版画25点、彫刻44点、デザイン42点、書道255点、写真143点、陶芸75点、漆芸11点、染色28点、織物40点、ガラス40点。合計814点

会員・準会員の推挙

〔会員〕（絵画）新城剛（書道）下地武夫（織物）真栄城興茂（ガラス）稲嶺盛吉

〔準会員〕（写真）普天間直弘、大城信吉（版画）知念秀幸、比嘉良徳（漆芸）松田勲（ガラス）平良恒雄、泉川寛勇（陶芸）山内米一（書道）渡名喜清

〔準会員賞〕（絵画）新城剛（織物）真栄城興茂（ガラス）稲嶺盛吉、大城孝栄（陶芸）新垣修（書道）下地武夫

〔沖展賞〕（絵画）前田比呂也（写真）大城信吉（デザイン）友奇景浩（ガラス）泉川寛勇（陶芸）大宮育雄（書道）赤嶺靖彦

〔奨励賞〕（絵画）上原勲、宮里昌健、仲松清隆（写真）堀川恭順、普天間直弘（版画）下地敏一、知念秀幸、比嘉良徳（デザイン）山田英夫、城間清酉（染色）当間光子、渡名喜はるみ（織物）伊藤峯子、糸数江美子、比嘉マサ子（漆芸）松田勲（ガラス）平良恒雄、松堂正喜（陶芸）高橋幸治、山内米一（彫刻）知念良智、渡慶次哲（書道）漢那治子、渡名喜清、泉朝信、本村晴美、浜口清子、天久武和

第42回　（1990年）
3月25日(日)〜4月8日(日)まで15日間、浦添市民体育館で浦添市、浦添市教育委員会の協力で開催。
〔陳列〕絵画114点、版画27点、彫刻46点、デザイン47点、書道226点、写真130点、陶芸78点、漆芸24点、染色18点、織物35点、ガラス39点。合計788点
会員・準会員の推挙
〔会員〕（版画）瑞慶山昇（書道）大城稔（漆芸）上間秀雄、新城安傑
〔準会員〕（絵画）宮里顕（彫刻）高嶺善昇（書道）泉朝信、高良房子
〔準会員賞〕（絵画）照屋万里、奥原崇典（版画）瑞慶山昇（書道）大城稔（陶芸）島常信（漆芸）上間秀雄、新城安傑
〔沖展賞〕（絵画）宮里顕（彫刻）知念良智（デザイン）城間清酉（写真）牧直實（書道）名嘉喜美（陶芸）宮城智（漆芸）赤嶺貴子（ガラス）当真進
〔奨励賞〕（絵画）瑞慶山昇、新垣正一、大城良明（版画）長浜克英、知念守（彫刻）高嶺善昇、上原博紀、仲里安広（デザイン）大城道秀、知念仁志、志喜屋徹（写真）小谷武彦、上地キミ子、坂井和夫（書道）東恩納安弘、泉朝信、豊平美榮子、高良房子（陶芸）石倉文夫、大林達雄（漆芸）宇良英明、当間文子（染色）渡名喜はるみ、当間光子（織物）嘉手苅カメ子（ガラス）仲吉幸喜、上原徳三

第43回　（1991年）
3月24日(日)〜4月7日(日)まで15日間、浦添市民体育館で浦添市、浦添市教育委員会の協力で開催。
〔陳列〕絵画124点、版画30点、彫刻45点、デザイン49点、書道249点、写真123点、陶芸83点、漆芸20点、染色26点、織物31点、ガラス41点。合計821点
会員・準会員の推挙
〔会員〕（絵画）赤嶺正則
〔準会員〕（写真）末吉はじめ（書道）吉里恒貞、安里牧子（漆芸）当間文子（織物）仲原志津子
〔準会員賞〕（絵画）赤嶺正則、佐久本伸光、高島彦志（版画）比嘉良徳（織物）大城一夫（染色）宮城里子（漆芸）松田勲（ガラス）平良恒雄（陶芸）山内米一（書道）大城武雄
〔沖展賞〕（絵画）上地雅子（写真）末吉はじめ（織物）中原志津子（漆芸）後間義雄（ガラス）屋我平尋（陶芸）ポール・ロリマー（書道）吉里恒貞
〔奨励賞〕（絵画）金城和男、仲松清隆、瑞慶山昇（写真）

崎山嗣光、知花照子、中山良哲（版画）玉城徳正、新崎竜哉（デザイン）宜保定和、大城道秀（織物）津波古信江、大城幸雄（染色）当間光子、金城盛弘、国場節子、知念貞男（漆芸）当間文子、富里愛子（ガラス）末吉清一、松田豊彦、具志堅正（陶芸）新垣光雄、宮城秀雄（彫刻）上原博紀、仲本真由美（書道）安里牧子、平良勝男、上地徹、浜口清子、西澤恒子、東恩納安弘

第44回　（1992年）
3月22日(日)〜4月5日(日)まで15日間、浦添市民体育館で浦添市、浦添市教育委員会の協力で開催。
〔陳列〕絵画121点、版画23点、彫刻40点、デザイン58点、書道256点、写真113点、陶芸74点、漆芸32点、染色24点、織物33点、ガラス39点。合計813点
会員・準会員の推挙
〔会員〕（デザイン）崎浜秀昌（ガラス）泉川寛勇、平良恒雄
〔準会員〕（絵画）仲松清隆、瑞慶山昇、宮里昌健（版画）知念守（彫刻）仲本真由美、上原博紀（写真）上地キミ子、坂井和夫（陶芸）大宮育雄（染色）知念貞男（ガラス）当真進
〔準会員賞〕（写真）末吉はじめ（デザイン）崎浜秀昌（織物）長嶺亨子（染色）伊差川洋子（ガラス）泉川寛勇、平良恒雄（陶芸）湧田弘（書道）安里牧子
〔沖展賞〕（絵画）仲松清隆（写真）西山雅浩（版画）長浜美佐子（染色）知念貞男（漆芸）糸数政次（ガラス）当真進（書道）漢那治子
〔奨励賞〕（絵画）瑞慶山昇、大城譲、宮里昌健、佐久間盛義（写真）上地キミ子、坂井和夫、中山良哲（版画）新崎竜哉、知念守（デザイン）木村ロメオ（織物）桃原美枝、波照間けさ子、津波古信江（染色）佐藤真佐子、金城盛弘（漆芸）古村茂（ガラス）屋我平尋、上原徳三、佐久間正二（陶芸）大宮育雄、伊禮邦夫、知花真紹（彫刻）上原博紀、仲本真由美、仲里安広、高江洲義寛（書道）幸喜石子、玉木恒子、比嘉良勝、宮平俊則、上原幸子、與久田妙子

第45回　（1993年）
3月21日(日)〜4月4日(日)まで15日間、浦添市民体育館で浦添市、浦添市教育委員会の協力で開催。
〔陳列〕絵画136点、版画22点、彫刻33点、デザイン45点、書道248点、写真123点、陶芸70点、漆芸20点、染色23点、織物30点、ガラス46点。合計796点
会員・準会員の推挙
〔会員〕（絵画）当山進（版画）比嘉良徳（書道）盛島高行（陶芸）湧田弘（染色）伊差川洋子（織物）大城一夫
〔準会員〕（絵画）大城譲、山田武（版画）新崎竜哉（書道）上地徹、名嘉喜美、小杉紘子（写真）崎山洋子、西山雅浩（漆芸）糸数正次（織物）糸数江美子（ガラス）屋我平尋
〔準会員賞〕（絵画）当山進、瑞慶山昇（写真）大城信吉

（版画）比嘉良徳（織物）大城一夫（染色）知念貞男、伊差川洋子（漆芸）当間文子（陶芸）湧田弘（書道）盛島高行
〔沖展賞〕（絵画）池宮城友子（写真）崎山洋子（漆芸）糸数次（ガラス）屋我平尋（書道）上地徹
〔奨励賞〕（絵画）奥本静江、大城譲、新城弘市郎、山田武（写真）西山雅浩、内間寛、仲宗根直（版画）新崎竜哉、仲本和子（デザイン）志喜屋徹、木村ロメオ（織物）糸数江美子、桃原美枝（漆芸）宮里愛子、富永正子（ガラス）大城清善、池宮城善郎（陶芸）羽田光範、伊禮邦夫（彫刻）宮里努（書道）玉木恒子、名嘉喜美、知念正、天久武和、小杉紘子、新城育子

第46回 （1994年）
3月20日（日）〜4月3日（日）まで15日間、浦添市民体育館で開催。
〔陳列〕絵画141点、版画24点、彫刻28点、デザイン53点、書道238点、写真131点、陶芸72点、漆芸15点、染色23点、織物30点、ガラス28点。合計783点
会員・準会員の推挙
〔会員〕（絵画）奥原崇典（デザイン）亀川康栄（写真）大城信吉（陶芸）島常信（漆芸）松田勲（染色）宮城里子
〔準会員〕（書道）天久武和（写真）内間寛、牧直實（漆芸）後間義雄（織物）富里愛子、津波古信江（ガラス）末吉清一
〔準会員賞〕（絵画）奥原崇典（写真）上地安隆、大城信吉（版画）知念守、新崎竜哉（デザイン）亀川康栄（染色）宮城里子（漆芸）松田勲（陶芸）島常信（書道）名嘉喜美、茅原善元
〔沖展賞〕（絵画）平野智子（写真）内間寛（漆芸）後間義雄（ガラス）池宮城善郎（陶芸）新垣初子（書道）玉城恵美子
〔奨励賞〕（絵画）知名久夫、平川宗信、喜屋武千恵（写真）松門重雄、金城幸彦、牧直實（版画）友利一直（デザイン）比嘉康幸、宮城真吾（織物）大城慧子、津波古信江（染色）上原順子、新垣鈴花（漆芸）真栄田静子、富里愛子（ガラス）末吉清一、大城清善（陶芸）大城繁、親川正治（彫刻）仲里安広（書道）与儀政子、新垣洋子、與久田妙子、中村裕美、天久武和

第47回 （1995年）
3月19日（日）〜4月2日（日）まで15日間、浦添市民体育館で開催。
〔陳列〕絵画157点、版画24点、彫刻24点、デザイン54点、書道246点、写真122点、陶芸76点、漆芸20点、染色22点、織物30点、ガラス22点。合計919点
会員・準会員の推挙
〔会員〕（書道）大城武雄（陶芸）新垣修（染色）知念貞男
〔準会員〕（絵画）具志恒勇（デザイン）木村ロメオ（書道）東恩納安弘、玉城恵美子、浜口清子（写真）佐久本政紀（陶芸）伊禮邦夫

〔準会員賞〕（絵画）大城譲（陶芸）新垣修（写真）崎山洋子、牧直實（染色）知念貞男（織物）糸数江美子（書道）大城武雄
〔沖展賞〕（絵画）知念秀幸（版画）赤嶺雅（陶芸）伊禮邦夫（写真）佐久本政紀（織物）仲村泰子（書道）東恩納安弘
〔奨励賞〕（絵画）平川宗信、具志恒勇（版画）宮城あすか（デザイン）木村ロメオ、名嘉一、平良均（彫刻）志喜屋徹（陶芸）崎原盛和、金城定昭（写真）呉屋良延、知花照子、仲宗根直（染色）具志七美、志堅原英子（漆芸）真栄田静子、大城光子、城間ハツ（ガラス）山城正、比嘉吉春（織物）運天裕子（書道）新垣敏子、上原幸子、玉城恵美子、運天雅代、浜口清子

第48回 （1996年）
3月24日（日）〜4月7日（日）まで15日間、浦添市民体育館で開催。
〔陳列〕
絵画156点、版画21点、彫刻34点、デザイン49点、書道236点、写真144点、陶芸68点、漆芸17点、染色27点、織物30点、ガラス22点。合計803点
会員・準会員の推挙
〔会員〕（絵画）照屋万里（版画）知念守（書道）名嘉喜美
〔準会員〕（絵画）知念秀幸（版画）赤嶺雅（書道）比嘉千鶴子（写真）金城幸彦、中山良哲（陶芸）島袋常栄、新垣栄用（漆芸）真栄田静子
〔準会員賞〕（絵画）砂川喜代、照屋万里（写真）上地キミ子（版画）知念守（ガラス）末吉清一（書道）名嘉喜美
〔沖展賞〕（絵画）仲里安広（写真）金城幸彦（デザイン）宮國貴子（陶芸）島袋常栄（彫刻）氏村・佐久田カルロス・マルチン（書道）與久田妙子
〔奨励賞〕（絵画）知念秀幸、稲嶺盛一郎、大底康宏（写真）平良正巳、伊芸元一、中山良哲（版画）城間和枝、赤嶺雅、宮城あすか（デザイン）大野陽子、川上豪、平良均（織物）伊藤峯子、大濱敏江（染色）前田栄、志堅原英子（漆芸）大城光子、真栄田静子（ガラス）親富祖勉、漢那憲作（陶芸）新垣栄用（彫刻）新垣盛秀、山城史輝、稲嶺織恵（書道）岸本定昇、佐野裕司、比嘉千鶴子、前田賢二、登川妙子

第49回 （1997年）
3月23日（日）〜4月6日（日）まで15日間、浦添市民体育館で開催。
〔陳列〕絵画152点、版画20点、彫刻29点、デザイン56点、書道233点、写真144点、陶芸69点、漆芸18点、染色27点、織物24点、ガラス25点。合計797点
会員、準会員の推挙
〔会員〕（版画）赤嶺雅（書道）茅原善元（織物）長嶺亨子（ガラス）末吉清一
〔準会員〕（絵画）仲里安広（版画）宮城あすか（デザイン）山田英夫、平良均（陶芸）新垣初子（織物）大林達雄（織物）伊藤

峯子

〔準会員賞〕（絵画）知念秀幸（版画）赤嶺雅（彫刻）當眞勲（書道）浜口清子、比嘉良勝（陶芸）小橋川昇（漆芸）糸数政次（織物）長嶺亨子（ガラス）末吉清一

〔沖展賞〕（絵画）照屋愛（版画）宮城あすか（デザイン）田場晋一郎（書道）山城篤男（写真）平良正己

〔奨励賞〕（絵画）我謝弘行、金城幸也、比嘉利寛、吉田峰子、小録了、仲里安広（版画）友利直（デザイン）山田英夫、平良均（彫刻）宮里秀和、真座孝治（書道）山城朝計、前田賢二、香村ナホ、知念正（写真）新城定盛、照屋字賢、金城利夫（陶芸）大林達雄、新垣初子、金城定昭（漆芸）大城加代子、赤嶺貴子（染色）津田かすみ、渡名喜はるみ、前田栄（織物）大城哲、伊藤峯子（ガラス）稲嶺盛一郎、大城啓一

第50回 （1998年）
3月22日(日)～4月5日(日)まで15日間、浦添市民体育館で開催。

〔陳列〕絵画142点、版画22点、彫刻38点、デザイン64点、書道274点、写真146点、陶芸72点、漆芸18点、染色32点、織物29点、ガラス29点。合計866点

会員、準会員の推挙

〔会員〕（絵画）比嘉良二、具志堅誓謹、佐久本伸光、砂川喜代（書道）安里牧子、浜口清子

〔準会員〕（絵画）金城幸也、平川宗信（彫刻）知念良智（書道）知念正、砂川榮、山城篤男、上原幸子、宮平俊則、福原兼永（写真）平良正己（漆芸）大城光子、赤嶺貴子（染色）渡名喜はるみ（織物）大城慧子

〔準会員賞〕（絵画）具志恒勇、宮里顕、比嘉良二（デザイン）山田英夫（書道）安里牧子、浜口清子、泉朝信（写真）普天間直弘（陶芸）高江洲康次

〔沖展賞〕（絵画）金城幸也（彫刻）親川松清（書道）知念正（写真）親泊秀尚（陶芸）佐久間栄（漆芸）大城光子（染色）外間修（織物）和宇慶むつみ

〔奨励賞〕（絵画）平川宗信、与那嶺芳恵、比嘉利寛、三木元子、山城政子、奥本静江、岸本ノブヨ、大底康宏、赤嶺広和、永島正（版画）金城恵子、山城智代、前田栄（デザイン）内間安博、長嶺忠雄、前田勇憲（彫刻）崎浜秀政、山城史輝、むらたりえこ、知念良智（書道）眞喜屋美佐、小橋川学、島尚美、砂川榮、玻名城泰久、山城美智子、山城篤男、我部幸枝、大盛敬徳、上原幸子、新城長助（写真）平良正己、金城棟永、諸見里光子、神山幸子（陶芸）津波古浩、比嘉康雄（漆芸）赤嶺貴子（染色）島袋あゆみ、渡名喜はるみ、請盛貴子、崎浜裕子（織物）運天裕子、大城慧子（ガラス）稲嶺盛一郎、谷井美鈴、大城尚也、大城清善

第51回 （1999年）
3月21日(日)～4月4日(日)まで15日間、浦添市民体育館で開催。

〔陳列〕絵画140点、版画21点、彫刻33点、デザイン52点、書道267点、写真135点、陶芸63点、漆芸20点、染色31点、織物24点、ガラス40点。合計826点

会員、準会員の推挙

〔会員〕（絵画）宮里顯（書道）泉朝信、比嘉良勝（写真）上地キミ子、崎山洋子

〔準会員〕（版画）長浜美佐子（彫刻）親川松清、山城史輝（書道）岸本定昇、平良勝男（写真）金城棟永、石垣永精（陶芸）金城定昭（ガラス）稲嶺盛一郎

〔準会員賞〕（絵画）宮里顯、金城幸也（版画）宮城あすか（彫刻）上原博紀（デザイン）木村ロメオ（書道）比嘉良勝、小杉紘子、泉朝信（写真）崎山洋子（陶芸）大林達雄（漆芸）後間義雄

〔沖展賞〕（絵画）佐久本米子（彫刻）親川松清（書道）我喜屋文子（写真）金城棟永

〔奨励賞〕（絵画）宮村浩美、仲宗根勇吉、山城政子、我如古洋子、岸本ノブヨ（版画）長浜美佐子（彫刻）新垣盛秀、山城史輝、與儀清孝（デザイン）仲本京子、知念仁志、諸見宣孝（書道）香村ナホ、比嘉安子、永田圭二、運天雅代、神山律子、山城美智子（写真）山城啓、石垣永精、翁長達夫（陶芸）金城定昭、佐渡山正光（漆芸）諸見由則、照喜名朝夫（染色）前田直美、外間修、請盛貴子、崎浜裕子（織物）和宇慶むつみ（ガラス）稲嶺盛一郎、新崎盛史、大城尚也

第52回 （2000年）
3月19日(日)～4月2日(日)までの15日間、浦添市民体育館で開催。

〔陳列〕絵画141点、版画20点、彫刻32点、デザイン50点、書道367点、写真123点、陶芸67点、漆芸23点、染色27点、織物24点、ガラス26点。合計900点

会員、準会員の推挙

〔会員〕（絵画）高島彦志（書道）仲本朝信

〔準会員〕（絵画）与那嶺芳恵、奥本静江（デザイン）知念仁志（書道）前田賢二、本村晴美、山城美智子（陶芸）親川正治（染色）外間修（ガラス）池宮城善郎

〔準会員賞〕（絵画）高島彦志（版画）長浜美佐子（彫刻）親川松清、知念良智（書道）山城篤男、渡名喜清、仲本朝信（写真）内間實、金城幸彦（陶芸）島袋常栄（漆芸）赤嶺貴子（ガラス）屋我平尋

〔沖展賞〕（絵画）与那嶺芳恵（彫刻）與儀清孝（デザイン）知念仁志（書道）前田賢二（陶芸）親川正治（漆芸）宮城荘一郎（ガラス）池宮城善郎

〔奨励賞〕（絵画）前田誠、奥本静江、高野生優、山川さやか、新城弘市郎（彫刻）大城朝利、城間勇（デザイン）諸見宣孝、仲本京子（書道）眞喜屋美佐、新里智子、比嘉安子、本村晴美、山城美智子、長浜和子、神山律子、我喜屋ヤス子（写真）渡久地政修、譜久原朝慎、伊波ムツ子（陶芸）小橋川弘、金城敏幸（漆芸）諸見由則、伊佐郁子（染色）仲松格、外間修、請盛貴子、仲吉委子（織物）宮良せい子（ガラス）青木茂夫、上地広明

第53回 （2001年）

3月18日(日)～4月1日(日)まで15日間、浦添市民体育館で開催。浦添市長賞を7部門に出す。

〔陳列〕絵画167点、版画25点、彫刻31点、デザイン40点、書道398点、写真128点、陶芸68点、漆芸23点、染色26点、織物28点、ガラス39点。合計973点

会員、準会員の推挙

〔会員〕（絵画）金城幸也（版画）長浜美佐子（彫刻）知念良智（書道）高良房子、宮平俊則（写真）末吉はじめ（陶芸）島袋常栄

〔準会員〕（絵画）山城政子、佐久本米子（彫刻）與儀清孝（デザイン）諸見宣孝、仲本京子（書道）眞喜屋美佐、比嘉安子、神山律子、我喜屋ヤス子（織物）和宇慶むつみ

〔準会員賞〕（絵画）金城幸也、与那嶺芳恵（版画）長浜美佐子（彫刻）知念良智（書道）高良房子、砂川榮、上地徹、宮平俊則（写真）末吉はじめ、中山良哲（陶芸）島袋常栄（染色）外間修（ガラス）池宮城善郎

〔沖展賞〕（絵画）安富幸子（デザイン）知名定利祉（書道）村山典子（写真）島元智（染色）大濱史枝

〔奨励賞〕（絵画）伊川治美、小橋川清一、山城政子、佐久本米子、上原はま子（版画）安仁屋政汎、辻優子（彫刻）與儀清孝、大城朝利、浜川和男（デザイン）諸見宣孝、仲本京子（書道）田名洋子、幸喜石子、眞喜屋美佐、比嘉安子、長浜和子、神山律子、城間律子、我喜屋ヤス子、西蔵盛英雄、金城多美子（写真）大城隆、渡嘉敷久美（陶芸）新垣栄一、大城千秋、新垣安隆（漆芸）當真茂、宮城清（染色）城間弘子、金城マリエ（織物）大仲毬子、和宇慶むつみ、仲宗根みちこ（ガラス）漢那憲作、上地広明、大城尚也

〔浦添市長賞〕（絵画部門）金城幸也（版画部門）友利直（彫刻部門）上原博紀（デザイン部門）津波古陽子（書道部門）岸本定昇（写真部門）島元智（工芸部門）大濱史枝

第54回 （2002年）

3月17日(日)～3月31日(日)まで15日間、浦添市民体育館で開催。浦添市長賞を7部門11ジャンルに出す。

〔陳列〕絵画138点、版画26点、彫刻28点、デザイン53点、書道396点、写真126点、陶芸73点、漆芸18点、染色22点、織物26点、ガラス38点。合計944点

会員、準会員の推挙

〔会員〕（絵画）中島イソ子、与那嶺芳恵（書道）小杉紘子、砂川榮（写真）牧直實（陶芸）小橋川昇（漆芸）後間義雄（織物）糸数江美子

〔準会員〕（絵画）新垣正一（書道）幸喜石子（織物）新里玲子

〔準会員賞〕（絵画）中島イソ子、与那嶺芳恵（彫刻）與儀清孝（デザイン）諸見宣孝（写真）牧直實（書道）小杉紘子、眞喜屋美佐、砂川榮、知念正（陶芸）小橋川昇（織物）糸数江美子（漆芸）後間義雄（ガラス）稲嶺盛一郎

〔沖展賞〕（絵画）赤嶺広和（デザイン）漢那豊（書道）幸喜石子

〔奨励賞〕（絵画）山川さやか、高野生優、新垣正一、大塚水央、安富幸子（版画）中村万季子、彭立波（彫刻）濱元朝和（デザイン）大森洋介、仲宗根みさと（写真）大迫啓子、翁長達夫（書道）永田圭二、金城多美子、中村裕美、大山美代子、与儀政子、西蔵盛英雄、西澤恒子、兼次律子、玉城君子、吉田優子（陶芸）新垣健司、薗田稔（染色）外間裕子、津田かすみ（織物）新垣隆、新里玲子、大仲毬子（漆芸）國吉亮子（ガラス）青木茂夫、新崎盛史、東新川拓也

〔浦添市長賞〕（絵画）有泉京子（版画）前田隆子（彫刻）大城朝利（デザイン）坂あゆみ（写真）金城道男（書道）与那嶺典子（陶芸）玉城望（漆芸）當眞茂（染色）仲吉委子（織物）仲宗根みちこ（ガラス）大城英世

第55回 （2003年）

3月16日(日)～3月30日(日)まで15日間、浦添市民体育館で開催。浦添市長賞を7部門11ジャンルに出す。

〔陳列〕絵画158点、版画30点、彫刻24点、デザイン53点、書道393点、写真120点、陶芸72点、漆芸21点、染色18点、織物28点、ガラス37点。合計954点

会員、準会員の推挙

〔会員〕（絵画）具志恒勇、大城譲（版画）宮城あすか（書道）眞喜屋美佐、知念正（ガラス）池宮城善郎

〔準会員〕（絵画）安富幸子、赤嶺広和（版画）前田栄（書道）田名洋子、金城多美子、中村裕美、運天雅代、西蔵盛英雄（写真）屋部高志（染色）仲吉委子、大濱史枝、外間裕子

〔準会員賞〕（絵画）奥本静江、具志恒勇、大城譲（版画）宮城あすか（書道）比嘉千鶴子、眞喜屋美佐、砂川米市、知念正（写真）佐久本政紀（織物）和宇慶むつみ（ガラス）池宮城善郎、当真進

〔沖展賞〕（絵画）安富幸子（版画）前田栄（書道）田名洋子（染色）仲吉委子

〔奨励賞〕（絵画）知念盛一、波平栄宏、當間よしの、仲宗根勇吉、高江洲陽子（版画）大野経典（彫刻）濱元朝和（デザイン）幸喜訓、当真千博、折田鮎美（書道）宮里朝尊、金城多美子、中村裕美、運天美代子、運天雅代、西蔵盛英雄、松堂康孝、兼次律子、比嘉さつき、新里智子（写真）幸喜訓、喜名朝駿、屋部高志（陶芸）比嘉拓美、吉村明、仲間功（漆芸）照喜名朝夫、仲北聡子（染色）大濱史枝、仲松格、城間栄市（織物）深石美穂（ガラス）小野田郁子

〔浦添市長賞〕（絵画）友利榮吉（版画）安仁屋政汎（彫刻）大城朝利（デザイン）宮平有紀子（書道）玉那覇峯子（写真）木村正男（陶芸）薗田稔（漆芸）國吉亮子（染色）外間裕子（織物）比嘉恵美子（ガラス）上地広明

第56回 （2004年）

3月14日(日)～3月28日(日)まで15日間、浦添市民体育館で開催。浦添市長賞を7部門11ジャンルに出す。

〔陳列〕絵画153点、版画27点、彫刻21点、デザイン55点、

書道403点、写真117点、陶芸78点、漆芸17点、染色18点、織物30点、ガラス45点。合計964点

会員、準会員の推挙

〔会員〕（絵画）奥本静江（彫刻）與儀清孝（書道）砂川米市、渡名喜清（染色）外間修（織物）和宇慶むつみ（ガラス）稲嶺盛一郎

〔準会員〕（絵画）岸本ノブヨ（版画）友利一直（彫刻）濱元朝和、大城朝利（書道）宮里朝尊、村山典子、長浜和子（写真）島元智（陶芸）比嘉拓美（染色）仲松格（織物）大仲毬子（ガラス）大城尚也

〔準会員賞〕（絵画）奥本静江、佐久本米子、安富幸子（版画）知念秀幸（彫刻）玉栄広芳、與儀清孝（書道）神山律子、砂川米市、渡名喜清、比嘉安子、前田賢二（陶芸）新垣榮用（漆芸）真栄田静子（染色）許田史枝、外間修（織物）和宇慶むつみ（ガラス）稲嶺盛一郎

〔沖展賞〕（絵画）岸本ノブヨ（彫刻）濱元朝和（デザイン）上里綾（書道）宮里朝尊（写真）平良幸江（陶芸）比嘉拓美（漆芸）當眞茂（ガラス）大城尚也

〔奨励賞〕（絵画）波平栄宏、伊川治美、上原政則、宮里ユキ子、知念盛一（版画）安仁屋政汎、友利一直（彫刻）大城朝利、玉那覇英人（デザイン）長内聡、久高美保、諸見朝敬（書道）長浜和子、吉田優子、上原孝之、桑江恭子、松堂康子、松田征子、斎藤純子、村山典子、仲里徹、仲西雅江（写真）島元智、真栄田義和、前田貞夫（陶芸）新垣栄、佐渡山正光（染色）仲松格（織物）大仲毬子、新垣隆（ガラス）山下奈緒子、上原学

〔浦添市長賞〕（絵画）赤嶺美代子（版画）座間味良吉（彫刻）宮城忍（デザイン）具志堅千穂（書道）上原貴子（写真）副田保子（陶芸）照屋晴美（漆芸）高江洲瑩子（染色）具志七美（織物）真栄田洋子（ガラス）新崎盛史

第57回 （2005年）

3月20日（日）～4月3日（日）まで15日間、浦添市民体育館で開催。浦添市長賞を7部門11ジャンルに出す。本年度より日本民藝協会賞を工芸部門から2ジャンルに出す。

〔陳列〕絵画150点、版画24点、彫刻28点、デザイン54点、書道408点、写真115点、陶芸76点、漆芸19点、染色25点、織物32点、ガラス40点。合計971点

会員、準会員の推挙

〔会員〕（彫刻）玉栄広芳（デザイン）諸見宣孝（書道）神山律子、前田賢二（写真）金城幸彦、佐久本政紀（ガラス）当真進

〔準会員〕（絵画）新城弘市郎（デザイン）幸喜訓（書道）新里智子、西澤恒子、松堂康子、吉田優子（陶芸）新垣健司、佐渡山正光（漆芸）照喜名朝夫

〔準会員賞〕（絵画）新垣正一、平川宗信（彫刻）玉栄広芳（デザイン）諸見宣孝（書道）上原幸子、神山律子、田名洋子、中村裕美、前田賢二、宮里朝尊（写真）金城幸彦、佐久本政紀（陶芸）新垣初子（染色）外間裕子（ガラス）当真進

〔沖展賞〕（絵画）冨名腰ヨシ子（彫刻）岩木詩緯子（デザイン）幸喜訓（書道）与那嶺典子（写真）翁長盛武（陶芸）新垣健司（織物）宮平トシ子

〔奨励賞〕（絵画）新川ヤス子、上原はま子、新城弘市郎、當間よしの、真栄田文子（版画）座間味良吉、宮里のぞみ（彫刻）宮里努（デザイン）島袋洋、諸見朝敬（書道）安里志乃、安里涼子、上原貴子、新垣敏子、新里明美、新里智子、西澤恒子、松堂康子、山里美代子、吉田優子（写真）渡嘉敷久美、真栄田義和、宮城和成（陶芸）新垣寛、佐渡山正光（漆芸）杉浦本信、照喜名朝夫（染色）宜保聡、比嘉孝子、宮城松子（織物）髙間えつ子、寺田紀子（ガラス）新崎盛史、上地広明、山下奈緒子

〔浦添市長賞〕（絵画）永島正（版画）平川良栄（彫刻）前川久栄（デザイン）泉川裕子（書道）伊地前喜美子（写真）岩城禮子（陶芸）新垣栄（漆芸）當眞茂（染色）宮城守男（織物）宜野座恵子（ガラス）東新川拓也

〔日本民藝協会賞〕（織物）仲宗根みちこ（ガラス）小野田郁子

第58回 （2006年）

3月19日（日）～4月2日（日）まで15日間、浦添市民体育館で開催。浦添市長賞を7部門11ジャンルに出し、日本民藝協会賞を工芸部門から2ジャンルに出す。

〔陳列〕絵画137点、版画30点、彫刻25点、デザイン54点、書道410点、写真120点、陶芸85点、漆芸23点、染色21点、織物27点、ガラス43点。合計975点

会員、準会員の推挙

〔会員〕（絵画）知念秀幸（版画）新崎竜哉（彫刻）上原博紀（書道）中村裕美、比嘉千鶴子、比嘉安子（染色）外間裕子

〔準会員〕（絵画）伊川治美（書道）新里明美、与那嶺典子、大山美代子（写真）翁長盛武、真栄田義和、翁長達夫（漆芸）當眞茂（染色）津田かすみ

〔準会員賞〕（絵画）岸本ノブヨ、知念秀幸（版画）新崎竜哉、前田栄（彫刻）上原博紀（デザイン）幸喜訓、知念仁志（書道）運天雅代、長浜和子、中村裕美、比嘉千鶴子、比嘉安子（写真）島元智（陶芸）親川唐白（染色）外間裕子

〔沖展賞〕（絵画）上間彩花（版画）本村佳奈子（デザイン）崎浜秀浩（書道）新里明美（写真）翁長盛武（陶芸）松田共司（漆芸）當眞茂（染色）宮城守男

〔奨励賞〕（絵画）新川ヤス子、伊川治美、松田盛吉、宮里ユキ子（版画）座覇政秀、新屋敷孝雄（彫刻）本郷芳哉（デザイン）久高美保、島袋洋、本若博次（書道）安里志乃、上原貴子、大山美代子、島尚美、城間律子、高江洲朝則、友利通子、豊平美奈子、松田征子、与那嶺典子（写真）岩城禮子、翁長達夫、真栄田義和（陶芸）金城吉彦、玉城望（漆芸）國吉亮介（染色）津田かすみ（織物）新垣隆（ガラス）小野田郁子、兼次直樹、東新川拓也

〔浦添市長賞〕（絵画）新崎多恵子（版画）波平栄宏（彫刻）上間美花（デザイン）大庭貴子（書道）新垣敏子（写真）津波古信行（陶芸）平良みどり（漆芸）上原保雄（染色）宜保聡（織物）比嘉恵美子（ガラス）喜屋武昌哲

〔日本民藝協会賞〕（陶芸）玉城若子（染色）具志七美

第59回 （2007年）

3月18日（日）〜4月1日（日）まで15日間、浦添市民体育館で開催。浦添市長賞を7部門11ジャンルに出し、日本民藝協会賞を工芸部門から2ジャンルに出す。

〔陳列〕絵画131点、版画27点、彫刻33点、デザイン51点、書道414点、写真128点、陶芸73点、漆芸20点、染色15点、織物35点、ガラス48点。合計975点

会員、準会員の推挙

〔会員〕（絵画）安富幸子（版画）知念秀幸（デザイン）知念仁志（書道）田名洋子（陶芸）親川唐白（漆芸）赤嶺貴子

〔準会員〕（絵画）上間彩花（彫刻）新垣盛秀（デザイン）島袋洋（書道）兼次律子、城間律子（写真）仲宗根直（陶芸）松田共司（織物）仲宗根みちこ

〔準会員賞〕（絵画）安富幸子（版画）知念秀幸、友利直（彫刻）大城朝利（デザイン）知念仁志、与那覇勉（書道）大山美代子、金城多美子、新里智子、田名洋子（写真）翁長盛武（陶芸）大宮育雄、親川唐白（漆芸）赤嶺貴子（染色）仲松格（織物）津波古信江

〔沖展賞〕（絵画）上間彩花（デザイン）平安啓乃（書道）兼次律子（写真）本若博次（織物）仲宗根みちこ（ガラス）喜屋武昌哲

〔奨励賞〕（絵画）池原優子、永島昌正、松田盛吉、与那嶺誠（版画）座間味良吉（彫刻）新垣盛秀、上間美花（デザイン）幸地のぞみ、島袋洋（書道）石川美智子、斎藤純子、城間律子、高江洲朝則、友利通子、豊平美奈子、仲里徹、比嘉邦子、比嘉登美子（写真）大城光雄、仲宗根直（陶芸）玉城望、松尾暢生、松田共司（漆芸）杉野義則（染色）宜保聡、當山雄二（織物）大城哲、森吉奈津子（ガラス）照屋光則、東新川拓也、比嘉裕一

〔浦添市長賞〕（絵画）高野生優（版画）崎浜秀浩（彫刻）福地勲（デザイン）坪井季絵（書道）安里志乃（写真）森山ひろみ（陶芸）大城千秋（漆芸）高江洲瑩子（染色）具志七美（織物）桃原積子（ガラス）具志堅充

〔日本民藝協会賞〕（陶芸）城間裕（織物）中村澄子

第60回 （2008年）

3月23日（日）〜4月6日（日）まで15日間、浦添市民体育館（美術部門）・浦添市美術館（工芸部門）で開催。浦添市長賞を7部門11ジャンルに出し、日本民藝協会賞を工芸部門から2ジャンルに出す。

第60回記念「沖展」やんばる移動展が4月12日（土）〜4月27日（日）まで16日間、名護21世紀の森体育館・名護市労働福祉センターで開催

〔陳列〕絵画147点、版画27点、彫刻33点、グラフィックデザイン48点、書芸387点、写真129点、陶芸80点、漆芸28点、染色36点、織物36点、ガラス54点。合計1005点

会員、準会員の推挙

〔会員〕（絵画）瑞慶山昇（版画）前田栄（グラフィックデザイン）玉城徳正（書芸）運天雅代、大山美代子、宮里朝尊

（写真）翁長盛武（漆芸）糸数政次

〔準会員〕（絵画）池原優子、波平栄宏、松田盛吉（版画）安仁屋政汎（彫刻）宮里努（書芸）安里志乃、仲里徹、松田征子（写真）宮城和成、本若博次（陶芸）國場一（漆芸）國吉亮子（ガラス）東新川拓也

〔準会員賞〕（絵画）瑞慶山昇、山内盛博（版画）前田栄（グラフィックデザイン）玉城徳正（書芸）運天雅代、大山美代子、西蔵盛英雄、宮里朝尊（写真）翁長達夫、翁長盛武（陶芸）佐渡山正光（漆芸）糸数政次

〔沖展賞〕（絵画）池原優子（彫刻）玉那覇英人（書芸）島崎サダエ（写真）宮城和成（陶芸）國場一（ガラス）東新川拓也

〔奨励賞〕（絵画）新崎多恵子、波平栄宏、橋本弘徳、松田盛吉（版画）座覇政秀、平川良栄（彫刻）仲村真理子、宮里努（グラフィックデザイン）ウチマヤシヒコ、幸地のぞみ、藤井浩輔（書芸）安里志乃、新垣任紀、伊野前喜美子、下地めぐみ、仲里徹、比嘉邦子、松田征子、山里美代子（写真）稲福政吉、前田貞夫、本若博次（陶芸）小橋川弘、照屋晴美、仲村まさひろ（漆芸）國吉亮子、杉野義則（染色）城間栄市、平良香奈子、宮城守男、迎里勝（織物）安里啓子（ガラス）大城英世、兼次直樹、古村綾子、冨着博文

〔浦添市長賞〕（絵画）安里彰博（版画）安仁屋政汎（彫刻）小橋川剛右（グラフィックデザイン）本若博次（書芸）松川美智子（写真）中島脩（陶芸）当真裕爾（漆芸）大見謝恒雄（染色）大橋伸正（織物）比嘉瑠美子（ガラス）新崎盛史

〔日本民藝協会賞〕（染色）石田麗（ガラス）野原智

第61回 （2009年）

3月22日（日）〜4月5日（日）まで15日間、浦添市民体育館で開催。浦添市長賞を7部門11ジャンルに出す。

〔陳列〕絵画156点、版画28点、彫刻27点、グラフィックデザイン66点、書芸342点、写真132点、陶芸73点、漆芸25点、染色20点、織物35点、ガラス58点。合計962点

会員、準会員の推挙

〔会員〕（グラフィックデザイン）与那覇勉（書芸）山城篤男（陶芸）新垣初子

〔準会員〕（絵画）橋本弘徳（版画）仲本和子（グラフィックデザイン）幸地のぞみ（書芸）新垣敏子、高江洲朝則、友利通子、島崎サダエ、比嘉邦子（写真）前田貞夫（陶芸）玉城望（ガラス）新崎盛史

〔準会員賞〕（絵画）池原優子、松田盛吉（彫刻）仲里安広（グラフィックデザイン）与那覇勉（書芸）東恩納安弘、山城篤男、山城美智子（写真）真栄田義和（陶芸）新垣初子（織物）伊藤峯子

〔沖展賞〕（絵画）橋本弘徳（版画）仲本和子（グラフィックデザイン）幸地のぞみ（書芸）新垣敏子

〔奨励賞〕（絵画）阿彦良子、栗山ルリ子、玉木義勝、並里幸太（版画）波平栄宏、保志門繁（彫刻）仲村真理子（グラフィックデザイン）ウチマヤシヒコ、宮城隆史（書

芸）石原勝子、上門かおり、我部幸枝、島崎サダエ、高江洲朝則、友利通子、仲里満、比嘉邦子（写真）中島脩、平安山英義、前田貞夫、吉直新一郎（陶芸）金城博美、玉城望、名波均（漆芸）知念巽、森田哲也（染色）宜保聡、金城成子、新保瑞希、平良香奈子（織物）大城智海、宮城奈々（ガラス）新崎盛史、大城英世、小野田郁子、島津幸子

〔浦添市長賞〕（絵画）新崎多恵子（版画）下地敏一（彫刻）河原圭佑（グラフィックデザイン）奥間洋子（書芸）伊野前喜美子（写真）真栄田静子（陶芸）Nicholas Centala（漆芸）松田力（染色）名城松子（織物）鈴木隆太（ガラス）我謝良秀

第62回 （2010年）

3月20日（土）〜4月4日（日）まで16日間、浦添市民体育館で開催。浦添市長賞を7部門12ジャンルに出す。
〔陳列〕絵画143点、版画26点、彫刻32点、グラフィックデザイン51点、書芸327点、写真123点、陶芸69点、漆芸24点、染色21点、織物33点、ガラス50点、木工芸29点。合計928点。

会員、準会員の推挙

〔会員〕（絵画）池原優子（書芸）西蔵盛英雄、東恩納安弘（写真）普天間直弘、翁長達夫

〔準会員〕（絵画）並里幸太、新崎多恵子（版画）座間味良吉（彫刻）仲村真理子、玉那覇英人（グラフィックデザイン）諸見朝敬、ウチマヤスヒコ（書芸）上原貴子、我部幸枝

〔準会員賞〕（絵画）池原優子、上間彩花（版画）安仁屋政汎（書芸）西蔵盛英雄、東恩納安弘、松堂康子（写真）翁長達夫、普天間直弘、前田貞夫（陶芸）玉城望（漆芸）照喜名朝夫（染色）許田史枝（織物）新里玲子（ガラス）東新川拓也

〔沖展賞〕（絵画）並里幸太（彫刻）河原圭佑（グラフィックデザイン）諸見朝敬（書芸）幸喜洋人（木工芸）宮国昇

〔奨励賞〕（絵画）新崎多恵子、玉寄貞子、豊見三智恵、眞榮田文子（版画）金城節子、座間味良吉（彫刻）倉富泰子、玉那覇英人、仲村真理子（グラフィックデザイン）ウチマヤスヒコ、山入端悠（書芸）上原善輝、上原貴子、我部幸枝、喜友名正子、仲宗根司、比嘉サエ子、與那城千恵子（写真）池田光敏、小鍋玉子、酒井利香、ハワンコビ・クリスィー（陶芸）新垣栄、下地葉子、西岡美幸（漆芸）兼次幸子、松田力（染色）大橋伸正、城間栄市、仲村由美（織物）島袋領子（ガラス）具志堅充、島袋信悟、當山みどり（木工芸）伊佐正、玄東哲、小波津朝春、戸眞伊擴

〔浦添市長賞〕（絵画）仲宗根美智子（版画）喜屋武信子（彫刻）知念盛一（グラフィックデザイン）與那覇綾（書芸）伊野前喜美子（写真）池原徳明（陶芸）内野正貴（漆芸）宮良千亜紀（染色）吉田誠子（織物）鈴木隆太（ガラス）喜納さくら（木工芸）兼次幸子

第63回 （2011年）

3月19日（土）〜4月3日（日）まで16日間、浦添市民体育館で開催。浦添市長賞を7部門12ジャンルに出す。
〔展示数〕絵画153点、版画23点、彫刻23点、グラフィックデザイン53点、書芸327点、写真120点、陶芸71点、漆芸25点、染色21点、織物38点、ガラス40点、木工芸22点。合計916点。

会員、準会員の推挙

〔会員〕（絵画）新垣正一、佐久本米子（版画）友利直（書芸）上原幸子、長浜和子

〔準会員〕（彫刻）河原圭佑（書芸）島尚美（陶芸）新垣寛（染色）城間栄市（織物）宮城奈々（ガラス）比嘉裕一（木工芸）戸眞伊擴

〔準会員賞〕（絵画）佐久本米子、新垣正一（版画）友利直（グラフィックデザイン）ウチマヤスヒコ、諸見朝敬（書芸）幸喜石子、上原幸子、長浜和子（写真）仲宗根直（陶芸）松田共司

〔沖展賞〕（絵画）宮里昌信（彫刻）河原圭佑（グラフィックデザイン）瀬長洋一（書芸）島尚美（写真）小嶺朝子（陶芸）新垣寛（漆芸）前田栄（染色）城間栄市（織物）宮城奈々（ガラス）比嘉裕一（木工芸）戸眞伊擴

〔奨励賞〕（絵画）宮里友三、城間幸子、濱口真央、城間かよ子（版画）金城節子、座間味盛亮（グラフィックデザイン）沖田民行、小浜晋也、與那覇綾（書芸）比嘉徳史、金城ハル子、天久美津枝、石原勝子、渡慶次喜代美、石津陽子、仲宗根郁江（写真）渡久地政修、山内昌昭、東邦定（陶芸）仲村まさひろ、大石美智子（漆芸）前田春城、民徳嘉奈子（染色）迎里勝、城間あずき（織物）古屋英子、羽地美由希、普久原一恵（ガラス）冨着博文、松田豊彦（木工芸）奥間政仁、崎山里見、濱善裕

〔浦添市長賞〕（絵画）嵩原武子（版画）久場貫夫（彫刻）ニコラス・センタラ（グラフィックデザイン）仲里都貴江（書芸）豊平美奈子（写真）中島脩（陶芸）廣木弘一（漆芸）前田怜美（染色）仲村由美（織物）神谷あかね（ガラス）川満美佐子（木工芸）中林亮

第64回 （2012年）

3月17日（土）〜4月1日まで16日間、浦添市民体育館で開催。浦添市長賞を7部門12ジャンルに出す。学生を奨励する「沖縄教育出版賞」が新設される。
〔展示数〕絵画157点、版画26点、彫刻29点、グラフィックデザイン59点、書芸309点、写真119点、陶芸74点、漆芸27点、染色22点、織物38点、ガラス44点、木工芸22点。合計926点。

会員、準会員推挙

〔会員〕（絵画）上間彩花（書芸）山城美智子（陶芸）玉城望（織物）新里玲子（木工芸）戸眞伊擴

〔準会員〕（絵画）宮里昌信、山川さやか（書芸）上原孝之、幸喜洋人（漆芸）前田栄（染色）宮城守男（ガラス）冨着博文（木工芸）崎山里見

〔準会員賞〕（絵画）上間彩花（彫刻）河原圭佑（書芸）山城美智子、天久武和（陶芸）玉城望（染色）城間栄市（織物）新里玲子（ガラス）東新川拓也（木工芸）戸眞伊擴

〔沖展賞〕（絵画）宮里昌信（版画）座喜味盛亮（グラフィックデザイン）小浜晋也（書芸）上原孝之（写真）我喜屋明正（陶芸）石倉一人（漆芸）前田栄（木工芸）崎山里見

〔奨励賞〕（絵画）山川さやか、城間かよ子、金城清子、嵩原武子（版画）保志門繁、新屋敷孝雄（彫刻）都築康孝、小橋川剛右（グラフィックデザイン）沖田民行、大村郁乃、松嶋玲奈（書芸）幸喜洋人、伊野前喜美子、石津陽子、上門かおり、仲宗根郁江、上原千枝美（写真）原国政裕、池原徳明（陶芸）新垣智、田里博（漆芸）民徳嘉奈子、前田春城（染色）城間あずき、宮城守男（織物）鈴木隆太、花城美香（ガラス）冨着博文、岸本利恵子、下地真紀子（木工芸）當間孝、髙良康司、

〔浦添市長賞〕（絵画）釘本成行（版画）池城安武（彫刻）佐藤康司（グラフィックデザイン）佐久本邦華（書芸）島袋園子（写真）松門重雄（陶芸）松尾暢生（漆芸）兼次幸子（染色）山城あかね（織物）深石美穂（ガラス）寿紗代（木工芸）奥間政仁

〔沖縄教育出版賞〕（グラフィックデザイン）新城いのり（書芸）翁長沙季（写真）東優（陶芸）綿千里、

第65回（2013年）

3月23日（土）〜4月7日（日）まで16日間、浦添市民体育館で開催。浦添市長賞、うるま市長賞を7部門12ジャンルに出す。学生を奨励する「沖縄教育出版賞」を出す。

〔展示数〕絵画153点、版画22点、彫刻32点、グラフィックデザイン53点、書芸285点、写真126点、陶芸68点、漆芸31点、染色27点、織物34点、ガラス49点、木工芸16点。合計896点

会員・準会員の推挙

〔会員〕（絵画）金城進（彫刻）河原圭佑（グラフィックデザイン）諸見朝敬（写真）島元智（陶芸）松田共司（染色）城間栄市

〔準会員〕（版画）新屋敷孝雄、保志門繁（グラフィックデザイン）沖田民行（書芸）豊平美奈子、仲宗根郁江（写真）渡久地政修（漆芸）民徳嘉奈子（織物）新垣隆（ガラス）松田豊彦（木工芸）當間孝

〔準会員賞〕（絵画）金城進（版画）座間味良吉（彫刻）河原圭佑、玉那覇英人（グラフィックデザイン）諸見朝敬（書芸）福原兼永、我部幸枝（写真）島元智（陶芸）松田共司（漆芸）當眞茂（染色）城間栄市、宮城守男（ガラス）大城尚也（木工芸）崎山里見

〔沖展賞〕（絵画）伊波則雄（彫刻）都築康孝（グラフィックデザイン）沖田民行（書芸）豊平美奈子（写真）渡久地政修（陶芸）伊志嶺達雄（漆芸）兼次幸子（織物）

島袋領子（木工芸）當間孝

〔奨励賞〕（絵画）サンリー・ヨンツォー、砂川恵光、釘本成行、濱口真央（版画）保志門繁、新屋敷孝雄（彫刻）津波夏希、大城清久、吉田俊景（グラフィックデザイン）仲里都貴江、前田勇憲、中井結（書芸）喜友名正子、渡久地美佐子、田頭節子、仲宗根郁江、玉城笙子、島袋園子（写真）東邦定、永味節子、安次嶺まり子（陶芸）田里博、前原常男、大城幸男（漆芸）有馬るり子、民徳嘉奈子、津波静子（染色）仲本のな、道家良典、迎里勝（織物）鈴木隆太、新垣隆（ガラス）伊敷寛光、松田豊彦、松田将吾（木工芸）高良康司、普天間典子

〔浦添市長賞〕（絵画）城間かよ子（版画）座喜味盛亮（彫刻）小橋川剛右（グラフィックデザイン）島尻一成（書芸）松川美智子（写真）我喜屋明正（陶芸）大海陽一（漆芸）前田春城（染色）永吉剛大（織物）川村早苗（ガラス）友利龍（木工芸）金城久美子

〔うるま市長賞〕（絵画）知念盛一（版画）池城安武（彫刻）大塚泰生（グラフィックデザイン）中曽根靖（書芸）上門かおり（写真）吉直新一郎（陶芸）町田智彦（漆芸）長嶺一枝（染色）加治工摂（織物）吉浜博子（ガラス）宜保郁美（木工芸）濱善裕

〔沖縄教育出版賞〕（版画）仲宗根さつき（彫刻）平敷傑（グラフィックデザイン）井出灯音（書芸）神山郁子（写真）比嘉緩奈（陶芸）金城彩子

第66回（2014年）

3月22日（土）〜4月6日（日）まで16日間、浦添市民体育館で開催。浦添市長賞、うるま市長賞を7部門12ジャンルに出す。学生を奨励する「沖縄教育出版賞」を出す。

〔展示数〕絵画153点、版画28点、彫刻35点、グラフィックデザイン54点、書芸282点、写真122点、陶芸67点、漆芸27点、染色20点、織物38点、ガラス48点、木工芸16点。合計890点

会員・準会員の推挙

〔会員〕（絵画）山内盛博（彫刻）玉那覇英人（グラフィックデザイン）ウチマヤスヒコ（染色）宮城守男（木工芸）崎山里見

〔準会員〕（絵画）伊波則雄、城間かよ子、知念盛一（グラフィックデザイン）中井結（書芸）上門かおり（写真）吉直新一郎（漆芸）大見謝恒雄

〔準会員賞〕（絵画）宮里昌信、山内盛博（彫刻）玉那覇英人（グラフィックデザイン）ウチマヤスヒコ（書芸）仲里徹、村山典子（漆芸）前田栄（染色）宮城守男（織物）仲宗根みちこ（ガラス）比嘉裕一（木工芸）崎山里見

〔沖展賞〕（絵画）伊波則雄（彫刻）津波夏希（グラフィックデザイン）中井結（書芸）上門かおり（写真）吉直新一郎（陶芸）町田智彦（木工芸）津波敏雄

〔奨励賞〕（絵画）金城恵美子、城間かよ子、知念盛一（版画）玉城研、又吉舞子（彫刻）玉城正昌、大城清久、

小橋川剛右（グラフィックデザイン）山里永作、吉田コマキ、島袋雅（書芸）金城ハル子、安座間賀子、神里和子、金城めぐみ、天久美津枝（写真）池原徳明、兼島正、山内昌昭（陶芸）谷口室生、江口聡、玉城若子（漆芸）大見謝恒雄、大城文子（染色）迎里勝（織物）深石美穂、太幸恵、桃原積子（ガラス）村石信茂、岡部佳織、松田将吾（木工芸）奥間政仁、金城久美子、平良勇

〔浦添市長賞〕（絵画）砂川恵光（版画）久場貫夫（彫刻）平敷傑（グラフィックデザイン）仲里都貴江（書芸）呉屋純媛（写真）新城直美（陶芸）前原常男（漆芸）長嶺一枝（染色）野原＝仲本のな（織物）松尾由樹（ガラス）吉田栄美子（木工芸）濱善裕

〔うるま市長賞〕（絵画）仲宗根勇吉（版画）平川良栄（彫刻）神村吉次（グラフィックデザイン）城間アルベルト（書芸）田頭節子（写真）しんざとえいじ（陶芸）大海陽一（漆芸）上間利枝子（染色）瑞慶山和子（織物）花城美香（ガラス）友利龍（木工芸）親川勇

〔沖縄教育出版賞〕（グラフィックデザイン）松嶋玲奈（書芸）東江美優（陶芸）久保田千尋

第67回　（2015年）

3月21日（土）〜4月5日（日）まで16日間、浦添市民体育館で開催。浦添市長賞、うるま市長賞を7部門12ジャンルに出す。学生を奨励する「沖縄教育出版賞」を出す。

〔展示数〕絵画148点、版画26点、彫刻30点、グラフィックデザイン55点、書芸250点、写真115点、陶芸67点、漆芸19点、染色21点、織物38点、ガラス44点、木工芸12点。計825点

会員・準会員の推挙

〔会員〕（絵画）宮里昌信（版画）座間味良吉（彫刻）仲里安広（書芸）我部幸枝（陶芸）大宮育雄（染色）仲松格（織物）仲宗根みちこ（ガラス）大城尚也

〔準会員〕（彫刻）大城清久（書芸）石津陽子（写真）東邦定、池原徳明、山内昌昭（陶芸）田里博（染色）迎里勝（織物）鈴木隆太（木工芸）津波敏雄

〔準会員賞〕（絵画）伊波則雄、宮里昌信（版画）座間味良吉（彫刻）仲里安広（グラフィックデザイン）幸地のぞみ（書芸）兼次律子、我部幸枝（写真）渡久地政修、吉直新一郎（陶芸）大宮育雄（漆芸）大見謝恒雄（染色）仲松格（織物）仲宗根みちこ（ガラス）大城尚也

〔沖展賞〕（絵画）北山千雅子（彫刻）伊志嶺達雄（グラフィックデザイン）島尻一成（書芸）新垣恵津子（写真）東邦定（陶芸）田里博（織物）島袋知佳子（ガラス）我謝良秀（木工芸）金城修

〔奨励賞〕（絵画）金城恵美子、小波津健、砂川恵光（版画）池城安武、大城有紀子（彫刻）大城清久、玉城正昌（グラフィックデザイン）川平勝也、仲里都貴江、濵口真央（書芸）石津陽子、上原善輝、渡慶次喜代美、松川美智子（写真）池原徳明、大川盛安、山内昌昭（陶芸）照屋晴

美、町田智彦（漆芸）宇野里依子（染色）迎里勝（織物）鈴木隆太、能勢玲子（ガラス）古賀雄大、照屋大海（木工芸）平良勇、津波敏雄、奧那嶺勝正

〔浦添市長賞〕（絵画）喜屋武信子（版画）比嘉れもん（彫刻）津波夏希（グラフィックデザイン）城間アルベルト（書芸）島袋園子（写真）天久ゆういち（陶芸）谷口室生（漆芸）津波静子（染色）瑞慶山和子（織物）花城美香（ガラス）村石信茂（木工芸）親川勇

〔うるま市長賞〕（絵画）仲程悦子（版画）座喜味盛亮（彫刻）吉田俊景（グラフィックデザイン）山里永作（書芸）仲宗根司（写真）小出由美（陶芸）玉城若子（漆芸）大城清善（染色）平安山由美（織物）島袋領子（ガラス）比嘉奈津子（木工芸）奧間政仁

〔沖縄教育出版賞〕（版画）金城由季乃（グラフィックデザイン）比嘉恵万（書芸）國吉真吾

第68回　（2016年）

3月19日（土）〜4月3日（日）まで16日間、浦添市民体育館で開催。浦添市長賞、うるま市長賞を7部門12ジャンルに出す。学生を奨励する「沖縄教育出版賞」を出す。

〔展示数〕絵画136点、版画28点、彫刻36点、グラフィックデザイン54点、書芸249点、写真124点、陶芸65点、漆芸16点、染色20点、織物28点、ガラス40点、木工芸11点。計807点

会員・準会員の推挙

〔会員〕（グラフィックデザイン）キムラロメオ、幸地のぞみ（書芸）金城多美子（写真）渡久地政修、吉直新一郎（漆芸）大見謝恒雄

〔準会員〕（絵画）砂川惠光、金城恵美子（彫刻）玉城正昌（グラフィックデザイン）大村郁乃（書芸）伊野前喜美子（織物）島袋知佳子、島袋領子（木工芸）奥間政仁

〔準会員賞〕（絵画）赤嶺広和、仲松清隆（版画）保志門繁（彫刻）大城清久、高嶺善昇（グラフィックデザイン）キムラロメオ、幸地のぞみ（書芸）金城多美子、豊平美奈子（写真）渡久地政修、吉直新一郎（陶芸）新垣寛（漆芸）大見謝恒雄

〔沖展賞〕（絵画）仲程悦子（彫刻）玉城正昌（グラフィックデザイン）大村郁乃（書芸）伊野前喜美子（写真）國吉健郎（陶芸）宮國健二（漆芸）宇野里依子（織物）島袋知佳子（木工芸）金城久美子

〔奨励賞〕（絵画）金城恵美子、鈴木金助、砂川惠光（版画）池城安武、比嘉れもん（彫刻）伊志嶺達雄、鈴木一平（グラフィックデザイン）川平勝也、花城達紀、和田瑞希（書芸）田頭節子、仲宗根司、安座間賀子、小林好生（写真）砂川悦子、知念和範、仲間智常（陶芸）山城尚子、石倉一人（漆芸）長嶺一枝（織物）島袋領子（ガラス）古賀雄大、玉城晃（木工芸）奥間政仁

〔浦添市長賞〕（絵画）玉木義勝（版画）東亜紀（彫刻）平敷傑（グラフィックデザイン）仲里都貴江（書芸）謝名

平敷傑（グラフィックデザイン）仲里都貴江（書芸）謝名堂奈緒子（写真）花城雅孝（陶芸）新垣栄（漆芸）親泊英利（染色）宮城友紀（織物）能勢玲子（ガラス）當山みどり（木工芸）小橋川剛右

〔うるま市長賞〕（絵画）北山千雅子（版画）大山朝之（彫刻）津波夏希（グラフィックデザイン）吉田コマキ（書芸）當間秀美（写真）喜名朝駿（陶芸）伊志嶺達雄（漆芸）津波静子（染色）徳田佐和子（織物）吉本敏子（ガラス）照屋大海（木工芸）與那嶺勝正

〔沖縄教育出版賞〕（版画）金城由季乃（彫刻）翁長瞳（グラフィックデザイン）松田萌（書芸）比嘉優花（陶芸）門脇沙映

第69回（2017年）

3月18日（土）～4月2日（日）まで16日間、浦添市民体育館で開催。浦添市長賞、うるま市長賞を7部門12ジャンルに出す。学生を奨励する「沖縄教育出版賞」を出す。
〔展示数〕絵画146点、版画28点、彫刻40点、グラフィックデザイン51点、書芸261点、写真111点、陶芸62点、漆芸18点、染色19点、織物33点、ガラス25点、木工芸16点。合計810点
会員・準会員の推挙
〔会員〕（彫刻）大城清久（書芸）村山典子（写真）中山良哲、真栄田義和（陶芸）新垣寛
〔準会員〕（絵画）北山千雅子、鈴木金助、仲程悦子（版画）池城安武（彫刻）津波夏希（グラフィックデザイン）川平勝也、島尻一成、仲里都貴江、山里永作（書芸）金城めぐみ、渡慶次喜代美（陶芸）新垣栄（漆芸）宇野里依子（木工芸）與那嶺勝正
〔準会員賞〕（絵画）新崎多恵子、山川さやか（版画）仲本和子（彫刻）大城清久（書芸）村山典子、与那嶺典子（写真）中山良哲、真栄田義和（陶芸）新垣寛（染色）迎里勝（織物）島袋知佳子（木工芸）奥間政仁、津波敏雄
〔沖展賞〕（絵画）鈴木金助（版画）池城安武（彫刻）趙英鍵（グラフィックデザイン）川平勝也（書芸）渡慶次喜代美（写真）儀間生子（陶芸）当真裕爾（漆芸）宇野里依子（木工芸）與那嶺勝正
〔奨励賞〕（絵画）北山千雅子、鶴見伸、仲程悦子、（版画）大城有紀子（彫刻）津波夏希、平敷傑（グラフィックデザイン）島尻一成、仲里都貴江、山里永作（書芸）金城めぐみ、島袋園子、比嘉徳史、宮城みち子（写真）亀島重男、中村秀雄、花城雅孝（陶芸）新垣栄、山内徳光（漆芸）親泊英利（染色）宮城友紀（織物）崎原克友、平良京子、桃原積子（ガラス）友利龍、野原智、森上真（木工芸）漢那憲次、佐久川正次
〔浦添市長賞〕（絵画）赤嶺美代子（版画）東亜紀（彫刻）吉田香世（グラフィックデザイン）和田瑞希（書芸）仲宗根司（写真）國吉健郎（陶芸）石倉一人（漆芸）津波静子（染色）平良幸子（織物）玉城恵（ガラス）加藤周作

（木工芸）小橋川剛右
〔うるま市長賞〕（絵画）サンリー・ヨンツォー（版画）城間弘文（彫刻）山本恭平（グラフィックデザイン）城間アルベルト（書芸）福原美枝（写真）喜名朝駿（陶芸）比嘉正徳（漆芸）與那嶺勝正（染色）知念冬馬（織物）野里愛子（ガラス）當山みどり（木工芸）野田洋
〔沖縄教育出版賞〕（絵画）新垣なつみ（版画）長山明菜（彫刻）鈴木一平（グラフィックデザイン）仲座萌香（書芸）仲間李子（写真）比嘉尚哉（陶芸）山内なつみ

第70回（2018年）

3月21日（水・祝）～4月8日（日）まで19日間、浦添市民体育館で開催。浦添市長賞、うるま市長賞を7部門12ジャンルに出す。学生を奨励する「e-no株式会社賞」を出す。
〔展示数〕絵画139点、版画24点、彫刻38点、グラフィックデザイン63点、書芸256点、写真106点、陶芸61点、漆芸20点、染色25点、織物35点、ガラス39点、木工芸20点。合計826点
会員・準会員の推挙
〔会員〕（版画）仲本和子（書芸）仲里徹（漆芸）照喜名朝夫（染色）迎里勝（木工芸）奥間政仁、津波敏雄
〔準会員〕（絵画）上原はま子（書芸）田頭節子（写真）仲間智常（織物）桃原積子（ガラス）森上真、兼次直樹
〔準会員賞〕（絵画）北山千雅子、並里幸太（版画）仲本和子（グラフィックデザイン）島尻一成（書芸）幸喜洋人、仲里徹、比嘉邦子（写真）東邦定（漆芸）宇野里依子、照喜名朝夫（染色）迎里勝（木工芸）奥間政仁、津波敏雄
〔沖展賞〕（絵画）與那覇勉（彫刻）翁長瞳（グラフィックデザイン）中曽根靖（書芸）仲舛由美子（写真）仲間智常（陶芸）山内徳光（ガラス）森上真（木工芸）波平敏弥
〔奨励賞〕（絵画）上原はま子、サンリー・ヨンツォー、比嘉博（版画）東亜紀（彫刻）趙英鍵（グラフィックデザイン）長谷川まさし、和田瑞希（書芸）上原千枝美、田頭節子、玉城笙子、知念一正（写真）親富祖勝枝、喜名朝駿、玉城律子（陶芸）谷口室生、山城尚子（漆芸）親泊英利（染色）大城はるか、瑞慶山和子、知念冬馬（織物）崎原克友、次呂久幸子、桃原積子（ガラス）兼次直樹、東恩納司、村石信茂（木工芸）瓜田一、勝連邦彦、野田洋
〔浦添市長賞〕（絵画）与那覇俊（版画）石垣亜実（彫刻）小橋川剛右（グラフィックデザイン）仲座萌香（書芸）山里昌輝（写真）豊里友行（陶芸）宮國健二（漆芸）大城清善（染色）宮城友紀（織物）天久奈津美（ガラス）我謝良秀（木工芸）比嘉亮太
〔うるま市長賞〕（絵画）嵩原武子（版画）座喜味盛亮（彫刻）平敷傑（グラフィックデザイン）山里美紀子（書芸）島袋園子（写真）与儀文夫（陶芸）小浜由子（漆芸）桃原教子（染色）深沢さやか（織物）金良美香（ガラス）

上地律子（木工芸）田里友一郎
〔e-no株式会社賞〕（絵画）仲宗根萌（版画）伊佐二葉（彫刻）丹羽正淳（グラフィックデザイン）比嘉健吾（書芸）上元優（写真）比嘉尚哉（陶芸）鈴木まこと（染色）赤嶺耕平（木工芸）浦崎翔太

第71回（2019年）

3月23日（土）〜4月7日（日）まで16日間、ANA ARENA浦添（浦添市民体育館）で開催。浦添市長賞、うるま市長賞を7部門12ジャンルに出す。学生を奨励する「e-no株式会社賞」を出す。

〔展示数〕絵画134点、版画20点、彫刻39点、グラフィックデザイン62点、書芸269点、写真107点、陶芸56点、漆芸23点、染色28点、織物38点、ガラス44点、木工芸25点。合計845点

会員・準会員の推挙

〔会員〕（絵画）並里幸太（版画）保志門繁（グラフィックデザイン）島尻一成（書芸）与那嶺典子（陶芸）佐渡山正光（ガラス）比嘉裕一

〔準会員〕（絵画）サンリー・ヨンツォ、與那覇勉（版画）座喜味盛亮（グラフィックデザイン）和田瑞希、中曽根靖（写真）國吉健郎（陶芸）石倉一人、仲村まさひろ、山城尚子（染色）冝保聡（ガラス）古賀雄大（木工芸）金城修、平良勇

〔準会員賞〕（絵画）城間かよ子、並里幸太（版画）保志門繁（グラフィックデザイン）大村郁乃、島尻一成（書芸）新里明美、与那嶺典子（写真）宮城和成（陶芸）佐渡山正光（漆芸）前田栄（ガラス）比嘉裕一（木工芸）當間孝

〔沖展賞〕（絵画）サンリー・ヨンツォ（書芸）伊禮かおる（写真）國吉健郎（陶芸）石倉一人（ガラス）友利龍（木工芸）川崎哲哉

〔奨励賞〕（絵画）鶴見伸、仁添まりな、與那覇勉（版画）座喜味盛亮（彫刻）中澤将、平敷傑（グラフィックデザイン）棚原麻里奈、中曽根靖、和田瑞希（書芸）呉屋純媛、平良祥太、渡久地美佐子、東德嶺輔（写真）亀島重男、宮良正子（陶芸）仲村まさひろ、山城尚子（漆芸）津波静子、西原郭行（染色）冝保聡、平良幸子、知念冬馬（織物）宇江城ヤス子、中村友美（ガラス）古賀雄大、松田英吉（木工芸）金城修、平良勇

〔浦添市長賞〕（絵画）城間文雄（版画）仲村梨亜（彫刻）翁長瞳（グラフィックデザイン）山里美紀子（書芸）上原千枝美（写真）新城直美（陶芸）宮國健二（漆芸）兼次幸子（染色）渡名喜裕生（織物）新門伊咲美（ガラス）池宮城翔（木工芸）小橋川剛右

〔うるま市長賞〕（絵画）嵩原武子（版画）大城有紀子（彫刻）安里充廣（グラフィックデザイン）玉城久美子（書芸）玉城笙子（写真）しんざとえいじ（陶芸）新垣優人（漆芸）森田哲也（染色）座波千明（織物）澤村佳世

（ガラス）池宮城諄（木工芸）日比野雄也
〔e-no株式会社賞〕（絵画）宮城郁代（彫刻）酒井貴彬（書芸）久田玲緒奈（陶芸）大湾昇平（染色）坂本希和子（木工芸）上地春菜

第72回（2020年）

新型コロナウイルス感染症拡大防止のため中止。
3月21日（土）〜4月5日（日）まで16日間、ANA ARENA浦添（浦添市民体育館）で開催を予定していた。浦添市長賞、うるま市長賞を12部門に出す。学生を奨励する「e-no株式会社賞」を出す。

〔当初展示予定数〕絵画133点、版画30点、彫刻34点、グラフィックデザイン51点、書芸276点、写真104点、陶芸54点、漆芸14点、染色26点、織物33点、ガラス22点、木工芸26点、合計803点

9月16日（水）〜21日（月）まで6日間、タイムスホールで入賞作品74点を展示する特別展を開催した。

会員・準会員の推挙

〔会員〕（絵画）平川宗信（グラフィックデザイン）大村郁乃（漆芸）宇野里依子

〔準会員〕（書芸）安座間賀子、上原善輝、仲宗根司（織物）崎原克友（ガラス）我謝良秀、友利龍（木工芸）野田洋

〔準会員賞〕（絵画）サンリー・ヨンツォ、平川宗信（版画）座喜味盛亮（彫刻）新垣盛秀（グラフィックデザイン）大村郁乃（書芸）伊野前喜美子、我喜屋ヤス子（写真）國吉健郎（陶芸）石倉一人（漆芸）宇野里依子（織物）桃原積子

〔沖展賞〕（絵画）石川哲子（版画）遠藤仁美（書芸）仲宗根司（写真）宮良正子（織物）崎原克友（木工芸）屋部忠

〔奨励賞〕（絵画）浦田健二、國吉清、知名久夫（版画）比嘉莉々香（彫刻）翁長瞳、平良勇（グラフィックデザイン）棚原麻里奈、玉城祥大、山里美紀子（書芸）安座間賀子、上原善輝、金城久弥、仲村冴子（写真）蛯子渉、宮城悦子（陶芸）宮城真弓、宮國健二（漆芸）新城和也（染色）知念冬馬、永吉剛大（織物）金良美香、能勢玲子（ガラス）我謝良秀、友利龍（木工芸）野田洋、矢久保圭

〔浦添市長賞〕（絵画）仁添まりな（版画）安次嶺勝江（彫刻）小橋川剛右（グラフィックデザイン）大城愛香（書芸）渡久地美佐子（写真）宮城晢子（陶芸）嶺井律子（漆芸）西原郭行（染色）瑞慶山和子（織物）上原八重子（ガラス）松本栄（木工芸）川崎哲哉

〔うるま市長賞〕（絵画）与那覇俊（版画）小出由美（彫刻）吉田タカヨ（グラフィックデザイン）城間アルベルト（書芸）島袋園子（写真）知念和範（陶芸）金城英樹（漆芸）兼次幸子（染色）平良武（織物）福本理沙（ガラス）外間健太（木工芸）漢那憲次

〔e-no株式会社賞〕（絵画）小林実沙紀（版画）多和田菜七（彫刻）小林真理子（グラフィックデザイン）原田一貴（書芸）野原健斗（写真）小出由美（陶芸）上原真衣

148

（2021年）

新型コロナウイルス感染症の影響で、沖展の歴史で初の公募見送り。関連展として30-40代の会員、準会員33名が参加した「okitenU50－今こそ、アートのチカラ」と、47名の沖展会員が出品した作品商品の展示即売「沖展商店2021」を企画。9月17日（金）～26日（日）にタイムスビルで開催した。

第73回 （2022年）

3月19日（土）～4月3日（日）まで16日間、ANA ARENA浦添（浦添市民体育館）で開催。浦添市長賞、うるま市長賞を12部門に出す。U20（16-19歳）、U30（20-29歳）の出品者を奨励する「e-no新人賞」を出す。

〔展示数〕絵画123点、版画20点、彫刻26点、グラフィックデザイン44点、書芸268点、写真76点、陶芸47点、漆芸19点、染色16点、織物24点、ガラス15点、木工芸17点、合計695点

会員・準会員の推挙

〔会員〕（版画）座喜味盛亮（書芸）比嘉邦子（写真）東邦定（織物）桃原積子

〔準会員〕（絵画）鶴見伸（彫刻）伊志嶺達雄（書芸）玉城笙子、仲舛由美子（陶芸）宮國健二（漆芸）前田春城（染色）知念冬馬

〔準会員賞〕（絵画）仲程悦子、與那覇勉（版画）座喜味盛亮（グラフィックデザイン）和田瑞希（書芸）上門かおり、比嘉邦子（写真）東邦定、仲間智常（織物）桃原積子（木工芸）與那嶺勝正

〔沖展賞〕（絵画）澤岻盛勇（グラフィックデザイン）山里美紀子（書芸）仲舛由美子（写真）平良正次（陶芸）宮國健二（漆芸）前田春城（織物）仲地洋子

〔奨励賞〕（絵画）赤嶺美代子、鶴見伸、仁添まりな（版画）安次嶺勝江（彫刻）池原芳昭、伊志嶺達雄（グラフィックデザイン）ヨウ・キイ、和宇慶茜（書芸）大田安子、上運天春菜、玉城笙子、仲村冴子（写真）幸喜あかり、諸見里安吉（陶芸）比嘉正徳、宮城真弓（漆芸）上江洲安龍（染色）知念冬馬、永吉剛大（織物）澤村佳世（ガラス）今井勝彦、外間健太（木工芸）屋宜政廣

〔浦添市長賞〕（絵画）西平賀雄（版画）遠藤仁美（彫刻）翁長瞳（グラフィックデザイン）城間アルベルト（書芸）知念一正（写真）國吉倖明（陶芸）新垣智（漆芸）嘉数翔（染色）平良幸子（織物）吉浜博子（ガラス）知念孝斉（木工芸）屋部忠

〔うるま市長賞〕（絵画）長谷川梨子（版画）新垣梨子（彫刻）平敷傑（グラフィックデザイン）工藤綾（書芸）山城千恵子（写真）砂川盛榮（陶芸）前原常男（漆芸）齋藤まい（染色）瑞慶山和子（織物）下田幸子（ガラス）上地律子（木工芸）當山全栄

〔e-no新人賞〕（絵画）佐藤ゆり（版画）多和田亜加梨（彫刻）酒井貴彬（書芸）知念遥（織物）與那嶺利菜

第74回 （2023年）

3月18日（土）～4月2日（日）まで16日間、ANA ARENA浦添（浦添市民体育館）で開催。浦添市長賞、うるま市長賞を12部門に出す。U20（16-19歳）、U30（20-29歳）の出品者を奨励する「e-no新人賞」を出す。

〔展示数〕絵画116点、版画24点、彫刻30点、グラフィックデザイン48点、書芸266点、写真98点、陶芸59点、漆芸20点、染色19点、織物30点、ガラス17点、木工芸15点、合計742点

会員・準会員の推挙

〔会員〕（書芸）我喜屋ヤス子、新里明美（木工芸）與那嶺勝正

〔準会員〕（絵画）仁添まりな（グラフィックデザイン）棚原麻里奈（書芸）島袋園子（木工芸）屋部忠

〔準会員賞〕（絵画）砂川惠光、橋本弘徳（グラフィックデザイン）川平勝也、中井結（書芸）我喜屋ヤス子、新里明美（漆芸）前田春城（織物）崎原克友（ガラス）友利龍（木工芸）與那嶺勝正

〔沖展賞〕（絵画）伊是名教子（彫刻）吉田タカヨ（書芸）島袋園子（写真）山城和代（陶芸）上江洲史朗（織物）中村友美（木工芸）屋部忠

〔奨励賞〕（絵画）赤嶺愼次、澤岻盛勇、仁添まりな（版画）安次嶺勝江（彫刻）酒井貴彬、戴素貞（グラフィックデザイン）棚原麻里奈、ヨウ・キイ（書芸）大田安子、金城久弥、謝名堂奈緒子、福原美枝（写真）玉城健次郎、屋嘉部景文（陶芸）新垣優人、当真英之（漆芸）西原郭行（染色）識名あゆみ（織物）我那覇ケイ子（ガラス）大城龍之介（木工芸）玉城正昌

〔浦添市長賞〕（絵画）比屋根清隆（版画）遠藤仁美（彫刻）仲村春孝（グラフィックデザイン）ウエザタカシ（書芸）知念一正（写真）名嘉久美子（陶芸）新垣安隆（漆芸）加堂勝久（染色）永吉剛大（織物）澤村佳世（ガラス）宮平由美子（木工芸）矢久保圭

〔うるま市長賞〕（絵画）石原美智子（版画）呉屋純子（彫刻）中澤将（グラフィックデザイン）大城愛香（書芸）呉屋純媛（写真）幸喜あかり（陶芸）照屋敏雄（漆芸）新城清枝（染色）坂本希和子（織物）能勢玲子（ガラス）外間健太（木工芸）稲嶺優子

〔e-no新人賞〕（絵画）前川麗香（版画）當間優衣（彫刻）安里小和（グラフィックデザイン）稲嶺優子（書芸）知念彩香（写真）平良有理佳（陶芸）藤吉海月

会員・準会員名簿
会則

沖展会員・準会員名簿

絵画部門

会員 33人			
赤 嶺 正 則	池 原 優 子	稲 嶺 成 祚	ウ エ チ ヒ ロ
上 間 彩 花	浦 添 健	大 城 讓	大 浜 英 治
喜 久 村 徳 男 (休会)	喜 友 名 朝 紀	金 城 進	金 城 幸 也
具 志 恒 勇	具 志 堅 誓 謹	佐 久 本 伸 光	佐 久 本 米 子
新 垣 正 一	瑞 慶 山 昇 (休会)	砂 川 喜 代	知 念 秀 幸
鎮 西 公 子	当 山 進 (休会)	中 島 イ ソ 子	並 里 幸 太
治 谷 文 夫	比 嘉 武 史	比 嘉 良 二	平 川 宗 信
宮 里 昌 信	安 元 賢 治	山 内 盛 博	与 久 田 健 一
與 那 嶺 芳 恵			

準会員 25人			
赤 嶺 広 和	新 崎 多 恵 子	い が わ は る よ し	伊 波 則 雄
上 原 は ま 子	岸 本 ノ ブ ヨ	北 山 千 雅 子	金 城 恵 美 子
サンリー・ヨンツォ	城 間 か よ 子	新 城 弘 市 郎	鈴 木 金 助
砂 川 恵 光	知 念 盛 一	鶴 見 伸	仲 里 安 広
仲 程 悦 子	仲 松 清 隆	橋 本 弘 德	松 田 盛 吉
宮 里 昌 健	山 川 さ や か	山 城 政 子	山 田 武
與 那 覇 勉			

版画部門

会員 15人			
赤 嶺 雅	新 崎 竜 哉	大 久 保 彰	神 山 泰 治
喜 舍 場 正 一	座 喜 味 盛 亮	座 間 味 良 吉 (休会)	瑞 慶 山 昇 (休会)
知 念 秀 幸 (休会)	友 利 直	仲 本 和 子	仲 元 清 輝
比 嘉 良 德	保 志 門 繁 (休会)	前 田 栄	

準会員 2人			
池 城 安 武	新 屋 敷 孝 雄		

彫刻部門

会員 15人			
上 原 隆 昭 (休会)	上 原 博 紀	上 原 よ し	河 原 圭 佑
喜 名 盛 勝	具 志 堅 宏 清 (休会)	玉 榮 広 芳	玉 那 覇 英 人
知 念 良 智	津 波 古 稔 (休会)	富 元 明 雄 (休会)	友 知 雪 江 (休会)
仲 里 安 広	西 村 貞 雄	與 儀 清 孝	

準会員 9人			
新 垣 盛 秀	伊 志 嶺 達 雄	大 城 朝 利	兒 玉 真 理 子
髙 嶺 善 昇	玉 城 正 昌	大 津 波 夏 希	濱 元 朝 和
宮 里 努			

グラフィックデザイン部門

会員 14人			
ウチマヤスヒコ	大 村 郁 乃	翁 長 自 修 (功労)	亀 川 康 栄 (休会)
岸 本 一 夫	キムラロメオ	金 城 正 司 (休会)	幸 地 の ぞ み (休会)
島 尻 一 成	玉 城 徳 正	知 念 秀 幸	知 念 仁 志
宮 城 保 武 (功労)	諸 見 朝 敬 (休会)		

準会員 11人			
大 城 康 伸	沖 田 民 行	川 平 勝 也	平 良 均
中 井 結	仲 里 都 貴 江	中 曽 根 靖	仲 本 京 子
山 里 永 作	山 田 英 夫	和 田 瑞 希	

書芸部門

会員 38人			
東 江 順 子	安 里 牧 子	新 城 弘 志	上 原 幸 子 (休会)
上 原 彦 一 (功労)	運 天 雅 代	大 城 武 雄	大 城 稔
大 山 美 代 子	我 喜 屋 明 正	我 部 幸 枝	神 山 律 子
金 城 多 美 子 (休会)	小 杉 紘 子	砂 川 米 市	砂 川 榮
髙 良 房 子 (休会)	田 名 洋 子	茅 原 善 元	渡 名 喜 清
名 嘉 喜 美	仲 里 徹	長 浜 和 子	仲 村 信 男
中 村 裕 美	仲 本 清 子	西 蔵 盛 英 雄	比 嘉 邦 子
比 嘉 良 勝	東 恩 納 安 弘	前 田 賢 二	眞 喜 屋 美 佐
宮 里 朝 尊	村 山 典 子	盛 島 高 行	山 城 篤 男
山 城 美 智 子	与 那 嶺 典 子		

準会員 37人			
安 座 間 賀 子	天 久 武 和	石 津 陽 子	伊 野 前 喜 美 子
上 門 か お り	上 地 徹	上 原 善 輝	上 原 貴 子
上 原 孝 之	上 間 志 乃	我 喜 屋 ヤ ス 子	兼 次 律 子
金 城 め ぐ み	幸 喜 石 子	幸 喜 洋 人	島 尚 美
島 崎 サ ダ エ	城 間 律 子	新 里 明 美	新 里 智 子
髙 江 洲 朝 則	田 頭 節 子	玉 城 笙 子	渡 慶 次 喜 代 美
友 利 通 子	豊 平 美 奈 子	仲 宗 根 郁 江	仲 宗 根 司
仲 舛 由 美 子	西 澤 恒 子	福 原 兼 永	松 田 征 子
松 堂 康 子	宮 城 政 夫	與 久 田 妙 子	吉 里 恒 貞
吉 田 優 子			

写真部門

会員 12人			
東　邦　定　智	大　城　信　吉	翁　長　達　夫	翁　長　盛　武
島　元　　　智	末　吉　は　じ　め	渡久地　政　修	中　山　良　哲
普天間　直　弘(休会)	真栄田　義　和	山　川　元　　　亮(功労)	吉　直　新一郎

準会員 13人			
池　原　德　明	石　垣　永　精	上　地　安　隆	金　城　棟　永
國　吉　健　郎	平　良　正　己	豊　島　貞　夫	仲宗根　　　直
仲　間　智　常	平　井　順　光	前　田　貞　夫	宮　城　和　成
本　若　博　次			

陶芸部門

会員・審査員 15人			
新　垣　　　修	新　垣　　　寛	大　宮　育　雄(休会)	親　川　唐　白
小橋川　　　昇(休会)	佐渡山　正　光	島　　　常　信(功労)	島　袋　常　一(功労)
島　袋　常　栄	島　袋　常　秀	玉　城　　　望	松　田　共　司
宮　城　篤　正(功労)	山　田　真　萬(休会)	湧　田　　　弘	

準会員 14人			
新　垣　榮　用	新　垣　健　司	新　垣　　　栄	石　倉　一　人
伊　禮　クニヲ	大　林　達　雄	金　城　定　昭	國　場　　　一
高江洲　康　次	仲　村　まさひろ	比　嘉　拓　美	宮　國　健　二
山　内　米　一	山　城　尚　子		

漆芸部門

会員 9人			
糸　数　政　次	宇野里　依　子	大見謝　恒　雄	金　城　唯　喜(功労)
後　間　義　雄	照喜名　朝　夫	前　田　國　男	前　田　貴　子
松　田　　　勲			

準会員 6人			
國　吉　亮　子	當　眞　　　茂	前　田　　　栄	真栄田　静　子
前　田　春　城	民　徳　嘉奈子		

154

染色部門

会員 9人			
城 間 栄 市	城 間 栄 順	玉 那 覇 道 子 (功労)	玉 那 覇 有 公 (功労)
仲 松 格	外 間 修	外 間 裕 子	宮 城 守 男
迎 里 勝			

準会員 5人			
冝 保 聡	許 田 史 枝	知 念 冬 馬	渡 名 喜 はるみ
仲 吉 委 子			

織物部門

会員 10人			
新 垣 幸 子	糸 数 江 美 子	大 城 一 夫	祝 嶺 恭 子
新 里 玲 子	多 和 田 淑 子	桃 原 積 子	長 嶺 亨 子
真 栄 城 興 茂	和 宇 慶 むつみ		

準会員 9人			
伊 藤 峯 子	大 仲 毬 子	崎 原 克 友	島 袋 知 佳 子
島 袋 領 子	新 垣 隆	鈴 木 隆 太	津 波 古 信 江
宮 城 奈 々			

ガラス部門

会員・審査員 10人			
池 宮 城 善 郎	泉 川 寛 勇 (休会)	稲 嶺 盛 一 郎 (休会)	稲 嶺 盛 吉 (休会)
大 城 尚 也	末 吉 清 一	平 良 恒 雄	当 真 進 (休会)
比 嘉 裕 一 (休会)	宮 城 篤 正 (功労)		

準会員 9人			
新 崎 盛 史	我 謝 良 秀	兼 次 直 樹	古 賀 雄 大
友 利 龍	東 新 川 拓 也	冨 着 博 文	松 田 豊 彦
森 上 真			

木工芸部門

会員・審査員 5人			
奥 間 政 仁	崎 山 里 見 (休会)	津 波 敏 雄	戸 眞 伊 擴
西 村 貞 雄			

準会員 5人			
金 城 修	平 良 勇	當 間 孝	野 田 洋
與 那 嶺 勝 正			

※氏名五十音順、敬称略
※(功労) は沖展会則第15条、(休会) は同第13条による。
2023年3月1日現在

沖 展 会 則

第一章　名 称

第1条　この会は「沖展」と称し、沖縄タイムス社がこれを主催する。沖縄タイムス社の代表取締役が「沖展会長」に就く。

第二章　目的及び活動

第2条　この会は、「沖展」の展覧会活動を主軸として現代美術工芸の創造発展につとめる。この目的のために次のことを行う。
　　　　① 春季に公募展「沖展」を開催する。
　　　　② 優秀な新人の推奨につとめる。
　　　　③ この目的のために必要あるときは、他の団体、機関と協力する。

第三章　方 針

第3条　沖展は、その伝統と歴史的な歩みのうえに各自の作品傾向を尊重し、その進展を期して運営される。

第四章　構 成

第4条　沖展は、絵画・版画・彫刻・グラフィックデザイン・書芸・写真・陶芸・漆芸・染色・織物・ガラス・木工芸の12部門で構成する。

第5条　会の運営を円滑にするため、「会員総会」と「運営委員会」「企画委員会」を設ける。

第五章　会員・準会員

第6条　会員・準会員を各部門におき、その数については定めない。

第7条　会員は、準会員中より推挙することを原則とする。推挙は、沖展審査終了後会員の合議によって行われる。会員は沖展の目的に賛同し、事業の円滑な実施に協力する。入会時に意思確認する。

第8条　準会員は一般出品者中より推挙される。推挙は、会員推挙と同時に会員の合議によって行う。

第9条　会員は準会員賞を2回以上、準会員は沖展賞を2回以上受賞した者を対象とし、奨励賞の受賞回数及び特別の推挙も考慮することができる。

第10条　会員・準会員は未発表の主要作品を沖展に出品し、又この会の維持運営に協力する。会員は沖展運営における沖展会員活動のため、年会費（20,000円）を納める。年会費を2年以上滞納した場合は会員の資格を失うことがある。

第11条　会員・準会員は、希望意見を運営委員（部会長）に具申することができる。

第12条　客員・会員死去のときは、沖展会場に主要遺作を陳列することができる。陳列の場合、展示法、点数はそのつど企画委員会が協議する。

第13条　沖展に連続2回に亘って不出品を続ける会員・準会員は、その理由を運営委員会に知らさなければならない。また、長期療養などやむを得ない事情がある場合は、休会届を沖展事務局に提出し、会員総会の承認を得なければならない。休会中は会費を免除する。退会を希望する会員は退会届を提出する。

第14条　会員・準会員のうちに、会の名誉を損なう不適当な行為のあったときは、運営委員会はこれを審議し、該当者に対し除名又は適宜の処置をとる。

第15条　功労会員を置く。会員に推挙後25年以上経過、もしくは沖展に功労があったもので、出品が難しくなった会員を対象とする。功労会員は運営委員会で決定し、会員総会で承認する。功労会員は会費を免除する。

第六章　運営委員会・部会

第16条　運営委員会は、各部門から選出された部会長12名と、運営委員長1名、事務局長1名をもって構成する。部会長が出席できない場合、副部会長（各部会それぞれ若干名置くことができる）が代理として参加できる。

第17条　運営委員長は、沖縄タイムス社読者局長がこれに当たり、運営を統括する。運営副委員長2名は運営委員長が部会長の中から委嘱し、委員長を補佐する。

第18条　運営委員会は、以下の事項について審議する。運営委員会が開催できない状況にあるとき、運営委員の過半数が書面または電磁的方法で議案について同意の意思表示をしたときは、その議案について決定があったものとみなす。
　　　　① 沖展の運営について
　　　　② 会員・準会員の退会・除名の取り扱い（会員総会にて承認）
　　　　③ 事業計画の作成（会員総会にて承認）
　　　　④ 審査方針基本案の作成（審査委員長へ提案）
　　　　⑤ その他会員総会への提案事項

第19条　運営委員はそれぞれの所属部門の運営に当たる。

第20条　部会は、各部門とも運営委員の部会長と副部会長、会員で構成し、部内の調整を図りながら自主的に運営する。

第21条　運営委員の任期は2年とし、部会において各部で選出する。再任を妨げない。

第七章　企画委員会

第22条　企画委員会は、企画委員長と各部門の会員より選出される委員で構成する。

第23条　企画委員長は事務局長がこれを兼ね、必要に応じ企画委員会を招集する。

第24条　企画委員は、定例的に「沖展」を企画し、その推進と、運営の円滑をはかる。「沖展」の事業計画案を審議する。その他「沖展」会期中に処理すべき事項に当たる。企画委員会が開催できない状況にあるとき、過半数の企画委員が書面または電磁的方法で議案について同意の意思表示をしたときは、その議案について決定があったものとみなす。

第25条　企画委員会は、欠席した部門に関する事項の決議は行わない。又委員の出席数が委任状を含めて定数の過半数に至らないときは、協議の決定は行わない。
第26条　企画委員会は、会員・準会員の中から下の係を若干名ずつ委嘱し、「沖展」運営の円滑をはかる。
　　　　① 搬入、搬出係（作品の保護管理の指導を担当する）
　　　　② 審査係（審査の進行、記録、入選通知、発表等を担当する）
　　　　③ 図録作成係（沖展図録の編集及びデザインを担当する）
　　　　④ 会場構成係（沖展会場内外及び周辺の構成を担当する）
　　　　⑤ 受賞係（賞状、賞品等の準備、作成を担当する）
　　　　⑥ 懇親会係（贈呈式、懇親会の運営を担当する）
　　　　⑦ 推挙事務係（被推挙者の資料作成を担当する）
　　　　⑧ PR 係（報道対策、沖展盛り上げ企画等を担当する）
第27条　企画委員の定数は、絵画 3、版画 2、彫刻 2、グラフィックデザイン 2、書芸 3、写真 2、陶芸 1、漆芸 1、染色 1、織物 1、ガラス 1、木工芸 1 名、計 20 名とする。
第28条　企画委員の任期は 2 年とし、部会において各部で選出する。再任を妨げない。

第八章　審査及び陳列
第29条　公募作品は会員がその審査に当たる。
第30条　審査委員長は運営委員長がこれに当たる。
第31条　審査委員長は、運営委員会の協議による基本案をもとに審査方針をたて、審査を主導する。又審査を円滑に運ぶための決定権をもつ。
第32条　① 作品の陳列は、各部門から部門別の陳列委員長を選出して行う。
　　　　② 陳列委員長は、各部門審査会終了と同時に選出する。
　　　　③ 陳列は各部門陳列委員長の下に、若干名の陳列委員をおいて行う。陳列委員は、陳列委員長の意向を参酌の上、会員・準会員の中から、審査会の席上で決める。
　　　　④ 陳列は陳列委員長の責任にて行う。

第九章　顧問及び客員
第33条　本会の維持と発展に功績のあった人を顧問又は客員として置くことができる。

第十章　賛助会員
第34条　本会に賛助会員を置くことができる。
第35条　賛助会員は運営委員会によって推挙されたもので、沖展に招待出品することができる。

第十一章　会員総会
第36条　会員総会は、沖展会員をもって構成し、毎年 1 回開催する。但し、必要がある時に臨時会員総会を開催することができる。
第37条　会員総会の議長は、沖展会長がこれに当たる。
第38条　会員総会は、以下の事項について承認する。
　　　　①「運営委員会」や「企画委員会」で審議した決定事項
　　　　② 会則の改正
　　　　③ 事業計画・募集要項
　　　　④ 運営委員・企画委員
　　　　⑤ その他、会の運営に関する重要な事項
第39条　会員総会は会員の過半数の出席（書面または電磁的方法による委任状を含む）をもって成立する。また会員総会が開催できない状況にあるとき、会員の過半数が議案について書面または電磁的方法で同意した場合は、会員総会で承認があったものとみなす。

第十二章　事務局
第40条　事務局を沖縄タイムス社読者局文化事業本部に置く。
第41条　事務局長を置き、沖縄タイムス社読者局文化事業本部長がこれに当たる。

第十三章　補則
第42条　この会則に定めのない事項は、会員総会の承認を経て沖展会長が別に定める。
第43条　この会則を実施するために、運営内規を定めることができる。運営内規は各部会または必要に応じて運営委員会で決定し、沖展会長の承認を得て実施する。

1. 本会則は 1971 年 2 月 9 日より実施する。
2. 1984 年 4 月 3 日改正
3. 1986 年 12 月 2 日改正（第 4 条、第 25 条）
4. 2017 年 9 月 2 日改正（第 16 条、第 25 条）
5. 2020 年 2 月 1 日改正（第 1 条、第 2 条、第 4 条、第 5 条、第 8 条、第 9 条、第 11 条、第 12 条、第 15 条、第 16 条、第 17 条、第 18 条、第 19 条、第 20 条、第 21 条、第 22 条、第 23 条、第 24 条、第 25 条、第 26 条、第 27 条、第 28 条、第 29 条、第 30 条、第 31 条、第 32 条、第 33 条、第 34 条、第 35 条、第 36 条、第 37 条、第 38 条、第 39 条、第 40 条、第 41 条、第 42 条）
6. 2020 年 10 月 25 日改正（第 17 条、第 23 条、第 37 条、第 38 条）
7. 2021 年 8 月 13 日改正（第 7 条、第 10 条、第 13 条、第 15 条、第 16 条、第 17 条、第 18 条、第 19 条、第 20 条、第 21 条、第 22 条、第 23 条、第 24 条、第 25 条、第 26 条、第 27 条、第 28 条、第 29 条、第 30 条、第 31 条、第 32 条、第 33 条、第 34 条、第 35 条、第 36 条、第 37 条、第 38 条、第 39 条、第 40 条、第 41 条、第 42 条、第 43 条）

協賛企業

★★★
Orion
THE PREM1UM

世界に誇れる沖縄を、
もうひとつ、つくろう。

オリオン ザ・プレミアム

NEW

沖展受賞おめでとうございます。新たな年度に向けて沖縄女性のお肌に「気持ち良い肌色」生まれました。

初めて使った方へ感想を伺いました。

PA++
SPF42

30ml／約2ヶ月分

「肌にすぐなじんで、白っぽいと感じる時間がない。(60代)」

「汗をかいても、仕上がりがサラッとしている。(70代)」

「乾燥した肌にツヤがでた。これでSPF42は嬉しい。(50代)」

KOBUNDO
Communications
光文堂コミュニケーションズ（株）

人と人をつなぐ 幸せを、いつまでも。

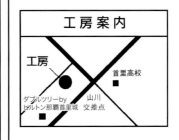

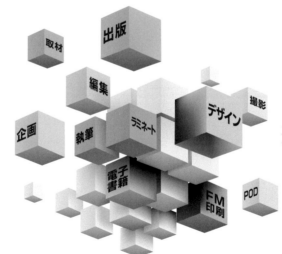